Deutsch als Fremdsprache

Mit Audio-CDs

Kursbuch A2

Stefanie Dengler
Paul Rusch
Helen Schmitz
Tanja Sieber

Ernst Klett Sprachen

Stuttgart

Von
Stefanie Dengler, Paul Rusch, Helen Schmitz, Tanja Sieber

Projektleitung: Angela Kilimann
Redaktion: Angela Kilimann
Gestaltungskonzept, Layout und Cover: Andrea Pfeifer, München
Illustrationen: Florence Dailleux
Bildrecherche: Sabine Reiter
Satz und Repro: kaltner verlagsmedien GmbH, Bobingen

Audio-CDs
Musikproduktion, Aufnahme und Postproduktion: Heinz Graf, Puchheim
Regie: Sabine Wenkums

Verlag und Autoren danken Christoph Ehlers, Beate Lex, Margret Rodi, Dr. Annegret Schmidjell, Katja Wirth und allen Kolleginnen und Kollegen, die **Netzwerk** begutachtet sowie mit Kritik und wertvollen Anregungen zur Entwicklung des Lehrwerks beigetragen haben. Wir danken außerdem dem Kaisergarten (München), der Münchner Verkehrsgesellschaft (MVG), der Gasteig München GmbH, Alexander Vesely, dem GaumenSpiel und der Deutschen Bahn AG für ihre freundliche Unterstützung bei den Fotoaufnahmen.

Netzwerk A2 – Materialien

Teilbände	
Kurs- und Arbeitsbuch A2.1 mit DVD und 2 Audio-CDs	606142
Kurs- und Arbeitsbuch A2.2 mit DVD und 2 Audio-CDs	606143
Gesamtausgaben	
Kursbuch A2 mit 2 Audio-CDs	606997
Kursbuch A2 mit DVD und 2 Audio-CDs	606998
Arbeitsbuch A2 mit 2 Audio-CDs	606999
Zusatzkomponenten	
Lehrerhandbuch A2	605010
Digitales Unterrichtspaket A2 (DVD-ROM)	605011
Interaktive Tafelbilder A2 (CD-ROM)	605012
Intensivtrainer A2	607000
Testheft A2	605013
Interaktive Tafelbilder zum Download unter www.klett-sprachen.de/tafelbilder	

In einigen Ländern ist es nicht erlaubt, in das Kursbuch hineinzuschreiben. Wir weisen darauf hin, dass die in den Arbeitsanweisungen formulierten Schreibaufforderungen immer auch im separaten Schulheft erledigt werden können.

Besuchen Sie uns auch im Internet: www.klett-sprachen.de/netzwerk

Audio-Dateien zum Download unter www.klett-sprachen.de/netzwerk/medienA2
Code: nW2q%F4

1. Auflage 1 7 6 5 | 2019 18 17

Erstausgabe erschienen 2013 bei Klett-Langenscheidt GmbH, München

Gesamtherstellung: Print Consult GmbH, München
ISBN 978-3-12-606997-7

Netzwerk – das Kursbuch

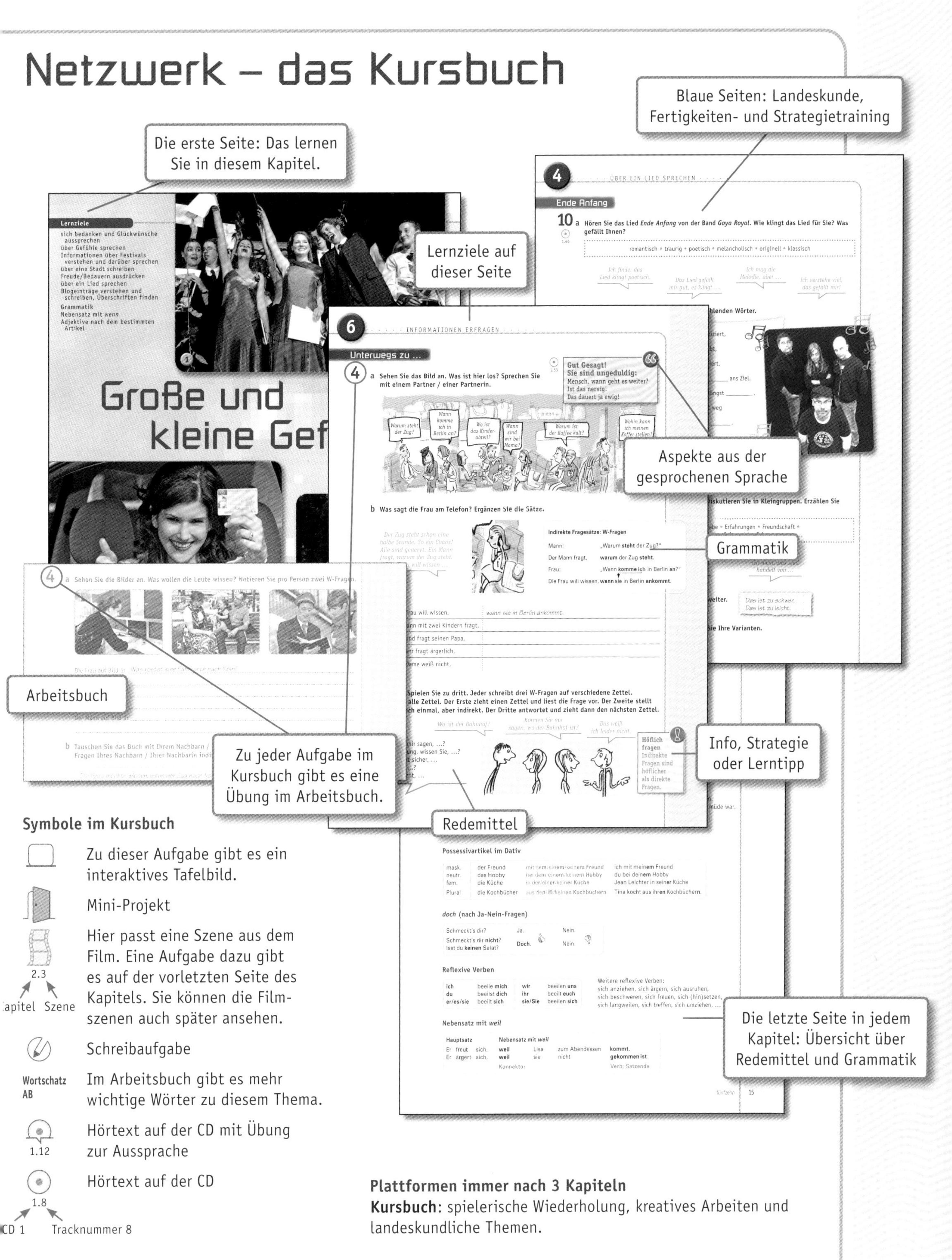

Symbole im Kursbuch

- Zu dieser Aufgabe gibt es ein interaktives Tafelbild.
- Mini-Projekt
- 2.3 (Kapitel, Szene) Hier passt eine Szene aus dem Film. Eine Aufgabe dazu gibt es auf der vorletzten Seite des Kapitels. Sie können die Filmszenen auch später ansehen.
- Schreibaufgabe
- **Wortschatz AB** Im Arbeitsbuch gibt es mehr wichtige Wörter zu diesem Thema.
- 1.12 Hörtext auf der CD mit Übung zur Aussprache
- 1.8 (CD 1, Tracknummer 8) Hörtext auf der CD

Plattformen immer nach 3 Kapiteln
Kursbuch: spielerische Wiederholung, kreatives Arbeiten und landeskundliche Themen.

Lernziele

- Informationen zu Personen verstehen
- über Essen sprechen
- sich und andere vorstellen
- eine Bildgeschichte verstehen und wiedergeben
- etwas begründen
- über Gefühle sprechen
- Vermutungen äußern
- Fragen zu einem Text beantworten
- ein Restaurant vorstellen
- Wörter mit allen Sinnen lernen

Grammatik

- Possessivartikel im Dativ: *mit meinem Freund*
- *doch* (nach Ja-/Nein-Fragen)
- Reflexive Verben: *sich freuen*
- Nebensatz mit *weil*

Kann ich dir helfen? **A**

Ja, bitte. Kannst du die Tomaten waschen und die Kartoffeln schälen?

Rund ums Essen

Willst du nicht auch ein Stück Pizza probieren? **B**

Doch, gern. Das riecht echt gut.

Kannst du mir das Brot geben, bitte? **C**

Aber gern! Gibst du mir bitte den Apfelsaft? Ich habe so Durst.

Mensch, habe ich einen Hunger! **D**

Es gibt ja gleich was. Ich stell´ die Suppe gerade in die Mikrowelle. Deck doch schon mal den Tisch.

1

a **Sehen Sie die Bilder an. Welche Gespräche passen zu diesen Situationen? Ordnen Sie zu.**

b **Hören Sie die Gespräche. Was sagen die Personen? Kreuzen Sie an.**

1.2–4
Wortschatz AB

Gespräch 1	Gespräch 2	Gespräch 3
1 Magst du keine Currywurst?	5 Und, wie schmeckt's?	9 Kochst du jeden Tag?
2 Ich habe keinen Hunger.	6 Nicht schlecht.	10 Nein, ich esse meistens in der Kantine.
3 Gesund ist das auch nicht.	7 Sehr gut. Superlecker.	11 Wie oft kochst du denn?
4 Ich esse ja nicht jeden Tag Currywurst, vielleicht einmal im Monat!	8 Möchtest du probieren?	12 Ich habe nur am Wochenende Zeit.

c **Wo essen Sie meistens? Was essen Sie gern? Erzählen Sie im Kurs.**

Ich esse meistens erst am Abend, nach der Arbeit. …

Ich gehe mittags immer in die Mensa. Da esse ich …

Im Kochkurs

2

a Sehen Sie die Zeichnung an. Ordnen Sie die Wörter zu.

b Beschreiben Sie das Bild.

Die Leute sind in einer Küche. Sie …

c Der Kurs beginnt. Hören Sie und verbinden Sie. Vergleichen Sie im Kurs.

1.5

1. Jean Leichter — hat viel Spaß bei seinem Hobby Kochen.
2. Laura Singer — backt gern.
3. Marco Wäger — begrüßt die Teilnehmer in seiner Küche.
4. Marco Wäger — hat von seiner Großmutter kochen gelernt.
5. Tina Stein — besucht den Kurs mit ihrem Freund.
6. Cem Metin — möchte Gerichte aus ihren Kochbüchern kochen.

d Lesen Sie noch einmal die Sätze in c und ergänzen Sie die Tabelle.

Possessivartikel im Dativ

mask.	der Freund	mit de**m Freund**	Laura mit ihr___ Freund
neutr.	das Hobby	bei de**m Hobby**	Marco bei sein___ Hobby
fem.	die Küche	in de**r Küche**	Jean Leichter in sein___ Küche
Plural	die Kochbücher	aus de**n Kochbüchern**	Tina kocht Gerichte aus ihr___ Kochbücher**n**.

1.1

3

Was haben Sie von dieser Person gelernt? Was haben Sie mit dieser Person gemacht? Spielen Sie in Gruppen.

⚀	⚁	⚂	⚃	⚄	⚅
Vater	Mutter	Freund	Lehrerin	Opa	Wählen Sie!

⚄ *Von meinem Opa habe ich kochen gelernt.*

⚂ *Mit meinem Freund habe ich oft Fußball gespielt.*

4

1.6

a Laura und Marco im Gespräch. Hören Sie. Was ist richtig? Kreuzen Sie an.

1. ☐ Der Kochkurs macht Laura keinen Spaß.
2. ☒ Laura isst heute keinen Fisch.
3. ☒ Laura hat Lust auf das Fleisch und das Gemüse.

b Was will Laura? Lesen Sie die Dialoge und die Sätze. Was ist richtig?

◆ Macht dir der Kurs keinen Spaß?
◆ Doch, doch. Aber ich will nicht Zwiebeln schneiden.

◆ Isst du nie Fisch?
◆ Doch! Aber dieser Fisch sieht komisch aus.

◆ Wir gehen nachher noch aus. Kommst du nicht mit?
◆ Nein, ich will schlafen.

Der Kurs	☒ macht Laura Spaß.	☐ macht Laura keinen Spaß.
Laura	☐ isst nie Fisch.	☒ isst heute keinen Fisch.
Laura	☐ kommt mit.	☒ kommt nicht mit.

c Notieren Sie vier Ja-/Nein-Fragen: zwei mit Verneinung und zwei ohne Verneinung. Stellen Sie die Fragen drei Leuten im Kurs.

Isst du heute nicht mit uns?
Schmeckt es dir?
Trinkst du keinen Kaffee? ...

Isst du heute nicht mit uns?
Doch, ich ...

doch	👍	👎
Schmeckt's dir?	Ja.	Nein.
Schmeckt's dir **nicht**? Isst du **keinen** Salat?	**Doch.**	Nein.

5

1.7

a Wer ist Jean Leichter? Was hat er gemacht? Hören Sie und ergänzen Sie je zwei Informationen.

Ausbildung und Beruf	Hobbys	Sprachen
beim Onkel in Hannover auf einem Schiff gearbitet	gehen im Natur, kochen, Ski farren	English, Deutsch, Franzosich

b Wer sind die anderen in Ihrem Kurs? Sammeln Sie Fragen zu Ausbildung und Beruf, Hobbys und Sprachen.

Was sind Sie ...?
Wo haben Sie ...? Wann ...?

c Interviewen Sie Ihren Partner / Ihre Partnerin. Stellen Sie ihn/sie im Kurs vor.

6

1.8

a Aussprache von *ch*: Hören Sie *ch* wie in *ich* oder *ch* wie in *acht*? Kreuzen Sie an.

	Küche	kochen	riechen	möchten	nach	gleich	auch	besuchen
wie *ich*								
wie *acht*								

1.9

b Ordnen Sie die Wörter. Hören Sie dann zur Kontrolle.

Kuchen • Milch • sprechen • Gespräch • Sprache • brauchen • Brötchen • vielleicht • Koch • euch • Bücher

Aussprache von *ch*
Nach **i**, **e**, **ei**, **eu**, **ä**, **ü** und **ö** → *ch* wie in *ich*.
Nach **a**, **o**, **u** und **au** → *ch* wie in *acht*.

wie in *ich* ______________________

wie in *acht* ______________________

Die Verabredung

7 Wortschatz AB

a Sehen Sie die Fotos an. Was ist hier los? Was macht Rick?

b Welche Skype-Nachricht passt wo? Ordnen Sie zu.

A Jetzt muss ich mich noch schnell umziehen. • B freust du dich schon? • C reg dich nicht auf! • D Ich setze mich gleich aufs Sofa. • E Oh, oh, da ärgert sich aber jemand ... • F Ich habe mich so beeilt!

Na, _B_ ... ☺	19:40
Ja, klar. Bin auch schon fertig. _F_ ...	19:43
Wann kommt Lisa denn?	19:45
Um acht. _A_	19:50
Na, dann will ich nicht weiter stören ;-)	19:52
Was machst du eigentlich heute Abend?	20:05
Ich? Nix, ich bin zu Hause. _D_ Mal sehen, was im Fernsehen kommt.	20:06
Viel Spaß!	20:06
Sitzt du schon auf dem Sofa? Sie ist noch nicht da ... ☹	20:25
_E_ Kopf hoch, _C_	20:35

c Verben mit Reflexivpronomen. Lesen Sie und markieren Sie in den Sätzen das Subjekt und das Reflexivpronomen. Ergänzen Sie die Tabelle.

Kommt was Gutes im Fernsehen?	20:47
Nee. **Ich** langweile **mich**. Ärgerst du dich noch?	20:50
Oh ja! Ich mache jetzt auch den Fernseher an...	20:51
Wollen wir uns treffen? Ich hab Zeit.	20:51
Super Idee. Komm doch zu mir – ich habe extra für dich was Schönes gekocht: Rindfleisch mit Bohnen ;-)	20:52
Bin schon unterwegs! ☺	20:53

Reflexive Verben

ich langweile _mich_	**wir** treffen _uns_
du ärgerst _dich_	**ihr** beeilt **euch**
er/es/sie beeilt **sich**	**sie/Sie** beeilen **sich**

8

Schreiben Sie eine Geschichte zu den Bildern in 7a. Formulieren Sie zu jedem Bild ein bis zwei Sätze.

Rick kocht und freut sich. ...

9

a Nebensätze mit *weil*. Sehen Sie noch einmal die Bildgeschichte in 7a an. Warum freut sich Rick, warum ist er traurig ...? Was passt zusammen?

Er freut sich, A

Er ist traurig, B

Er ärgert sich, B

Er zieht sich um, A

A weil Lisa zum Abendessen kommt.

B weil Lisa nicht gekommen ist.

b Markieren Sie die Verben und ergänzen Sie die Nebensätze mit *weil* in der Tabelle.

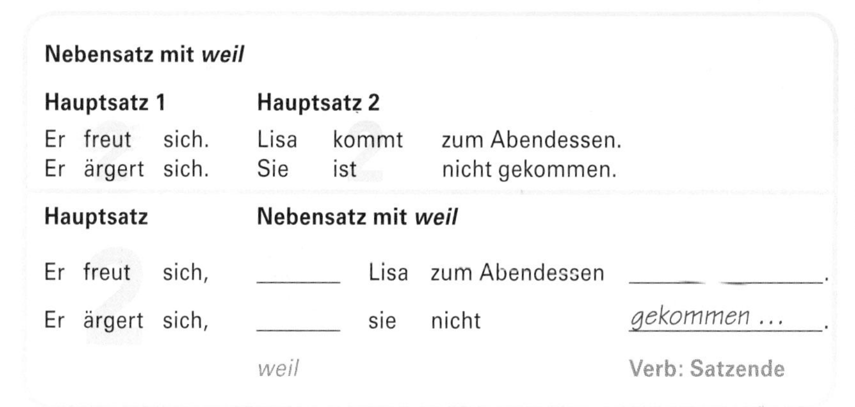

Nebensatz mit *weil*

Hauptsatz 1			Hauptsatz 2			
Er	freut	sich.	Lisa	kommt	zum Abendessen.	
Er	ärgert	sich.	Sie	ist	nicht gekommen.	

Hauptsatz			Nebensatz mit *weil*			
Er	freut	sich,	______	Lisa	zum Abendessen	______ .
Er	ärgert	sich,	______	sie	nicht	*gekommen ...* .
			weil			Verb: Satzende

Nebensatz mit *weil*
Der Nebensatz beginnt mit *weil*, dann folgt meistens das Subjekt. Das Verb steht am Ende.

c Und Sie? Warum ärgern oder freuen Sie sich? Erzählen Sie.

Ich ärgere mich, weil der Bus ...

10

a Was vermuten Sie: Warum ist Lisa nicht gekommen? Begründen Sie Ihre Vermutung.

Ich glaube, Lisa hatte ... Ich denke, Lisa war ... Ich vermute, Lisa konnte ...
Vielleicht hat Lisa ... Lisa wollte vielleicht nicht kommen, weil ...

Vielleicht ist Lisa nicht gekommen, weil sie krank war.

b Wie war es wirklich? Hören Sie und kreuzen Sie an.

1.10

1.2

Lisa ist nicht gekommen, weil ...

1 sie keine Zeit hatte.

2 sie einen Unfall hatte.

3 die Verabredung erst am nächsten Tag ist.

4 sie in einem Restaurant gewartet hat.

11

a Der nächste Abend. Arbeiten Sie zu zweit. Wie geht die Geschichte weiter? Wählen Sie ein Bild und schreiben Sie einen Dialog.

b Spielen Sie Ihren Dialog vor.

Dunkelrestaurant

12 a Sehen Sie die Homepage an. Was kann das sein?

Vielleicht ist das eine Homepage für …

Dinner In The Dark
Essen im Dunkeln in Österreich

search...

Seiten
- Dark Dinner
- Dinner im Dunkeln
- Dinner in the Dark
- Dunkeldinner
- Dunkelrestaurant
- Essen im Dunkeln
- Links

- Dinner in the Dark bestellen!
- Dinner in the Dark Wien buchen
- Dinner in the Dark Leoben buchen
- Dinner in the Dark Linz buchen
- Dinner in the Dark Salzburg buchen

b Lesen Sie die Fragen und den Text. Markieren Sie die Antworten im Text.

1. Was ist das Besondere an diesen Restaurants?
2. Wo bestellen die Gäste das Essen?
3. Wie kommen die Gäste in den Gastraum?
4. Was ist beim Essen im Dunkeln schwierig?
5. Wie lange bleiben die Gäste im Dunkeln?
6. Darf man rauchen?

1.11

Der Gedanke
Ein Restaurant ohne Licht – es ist ganz dunkel. Sie können Ihre eigene Hand nicht sehen. Eine völlig neue Erfahrung. Jetzt zählt nur noch das Hören, Riechen, Fühlen und Schmecken! Jedes Geräusch, jeder Geruch ist ein Erlebnis!
Der Weg
Sie bestellen Ihr Essen im Vorraum bei Licht. Sie können zwischen sieben verschiedenen Menüs wählen. Aber im Restaurant wissen Sie nicht genau, was Sie essen. Sie „schmecken" Ihr Essen und erkennen es. Ein Kellner führt Sie an der Hand in den völlig dunklen Gastraum. Oft sind die Kellner sehbehindert oder blind.
Das Essen
Alles hat seinen Platz. Löffel, Messer, Gabel, Gläser, Serviette … Wenn Sie sich an die Dunkelheit gewöhnt haben, schenken Sie sich Ihr Getränk selbst ins Glas. Gar nicht so einfach! Hören Sie, wann das Glas voll ist?
Ist der Löffel schon voll oder nicht? Treffe ich meinen Mund? Und was esse ich da überhaupt? Ist mein Teller schon leer oder liegt da noch etwas? Vielleicht darf ich einmal meine Finger benutzen …? Und was mache ich, wenn ich auf die Toilette gehen muss? Wie finde ich den Weg? – Keine Sorge, Ihr Kellner ist immer in der Nähe und für Sie da. Rauchen ist natürlich verboten.
Das Ende
Nach zwei bis drei Stunden und vielen neuen Eindrücken „dürfen" Sie wieder ans Licht. Hier bezahlen Sie und können mit Ihrem Partner / Ihrer Partnerin und anderen Gästen über die Erlebnisse sprechen.

> **Gut gesagt:**
> **Sie möchten zur Toilette**
>
> 
>
> **Sie sagen zu Ihrem Partner / Ihrer Partnerin:**
> „Entschuldigen Sie / Entschuldige mich bitte einen Moment."
>
> **Sie fragen den Kellner / die Kellnerin:**
> „Entschuldigung, wo ist bitte die Toilette?"

c Arbeiten Sie zu zweit. Beantworten Sie abwechselnd die Fragen in 12b.

d Möchten Sie gern ein Dunkelrestaurant besuchen?

e Recherchieren Sie im Internet: Gibt es auch bei Ihnen „Dunkelrestaurants" oder andere besondere Restaurants? Stellen Sie Ihre Ergebnisse kurz im Kurs vor.

Lernen mit allen Sinnen

13 a **Machen Sie das Lern-Erfahrungs-Spiel. Bereiten Sie gemeinsam die Stationen A bis E vor. Jeder muss etwas mitbringen und darf es dem anderen nicht zeigen.**

b **Spielen Sie in kleinen Gruppen. Gehen Sie von Station zu Station.**

A

Jeder sucht sich einen Gegenstand im Kursraum. A beginnt: „Ich sehe etwas. Das ist rot." Die anderen raten: „Deine Tasche?" – „Die Jacke?" A: „Nein. Ich sehe etwas. Das ist rot und klein." Person B hat richtig geraten? B macht weiter: „Ich sehe ..."

B

In einem Stoffbeutel liegen zehn verschiedene Gegenstände. A nimmt einen Gegenstand im Beutel in die Hand und fühlt. Was ist das? Richtig geraten? Dann darf A den Gegenstand herausnehmen. B macht weiter.

C

Jeder bringt etwas zum Riechen mit (Blume, Parfum, Apfel ...). Augen zu! Wie riecht das? Was ist das? A beginnt.

D

Jeder bringt etwas zum Essen oder Trinken mit (ein Stück Obst, ein Bonbon, Zitronensaft, ...). A hat die Augen zu und macht den Mund auf. Wie schmeckt das? Was ist das?

E

Person A macht die Augen zu. B tut etwas. A hört gut zu: Was macht B?

> **Lernen Sie mit allen Sinnen:**
> Lernen Sie Wörter durch: Bilder ansehen, Fühlen mit den Händen, Riechen, Schmecken und Hören.

c **Notieren Sie. Welche Wörter haben Sie neu gelernt, welche Wörter haben Sie wiederholt?**

d **Eine Woche später: An welche Wörter erinnern Sie sich noch? Welches Wort haben Sie gesehen, gefühlt, geschmeckt, gerochen, gehört? Notieren Sie.**

Der Film

14 Was machen die Personen? Sehen Sie den Trailer. Ordnen Sie zu.

Trailer

A macht ein Praktikum in München • B ist die Chefin von Bea • C ist die Tochter von Claudia und Martin Berg • D wohnt bei Familie Berg • E arbeitet in einem Hotel • F ist viel unterwegs • G studiert Sport und Informatik • H geht zur Schule • I mag Bea

Bea ___ Martin Berg ___ Ella ___ Claudia Berg ___ Felix ___ Hanna Wagner ___

15 a Was gibt es heute? Sehen Sie Szene 1 ohne Ton. Was glauben Sie: Wer sagt das? Notieren Sie B (für Bea), F (für Felix) oder E (für Ella).

1.1

___ Was gibt es eigentlich?

___ Wir haben keinen Reis.

___ Kein Problem! Ich geh einkaufen und du schneidest das Gemüse.

___ Möchtest du probieren?

___ Kannst du noch Sojasauce holen?

___ Wann essen wir?

___ Hühnchen mit Gemüse und Reis.

___ Hühnchen-Filet in Würfel schneiden ...

___ Möchtest du schon mal den Tisch decken?

___ Für wie viele Personen denn?

b Sehen Sie Szene 1 mit Ton. Kontrollieren Sie Ihre Vermutungen.

1.1

16 a Ich habe schon so Hunger! Sehen Sie Szene 2. Ergänzen Sie.

1.2

◆ Hast du schon mal Indisch ______________(1)?
◆ Ich weiß gar nicht.
◆ Das ______________(2) dir sicher.

◇ Dann hol ich schon mal das ______________(3).
◆ Gut, und ich ______________(4) mir schon mal was. Martin?
◇ Ja, ______________(5).

b Setzen Sie sich in Gruppen um einen Tisch. Spielen Sie Gespräche beim Essen.

Kurz und klar

sich und andere vorstellen

Mein Name ist … / Ich heiße … / Das ist …	Er/Sie heißt …
Ich komme aus …	Er/Sie kommt aus …
Ich bin 23 (Jahre alt).	Er/Sie ist …
Ich studiere Psychologie.	Er/Sie arbeitet bei einer Autofirma.
Ich … gern. / Ich mag …	Er/Sie … gern. / Er/Sie mag …

etwas begründen

Lisa ist nicht gekommen, weil sie krank war / ein Problem hatte.
Lisa ist vielleicht nicht gekommen, weil sie den Termin vergessen hat.

über Gefühle sprechen

Ich ärgere mich oft, weil der Bus zu spät kommt.
Ich freue mich jeden Abend, weil mein Freund so gut kocht.
Ich bin traurig, weil meine Familie weit weg ist.

Vermutungen äußern

Ich glaube, Lisa hatte keine Lust.
Ich denke, Lisa war krank.
Ich vermute, Lisa konnte nicht pünktlich kommen.

Vielleicht hat Lisa die Adresse nicht gefunden.
Lisa wollte vielleicht nicht kommen, weil sie müde war.

Grammatik

Possessivartikel im Dativ

mask.	der Freund	mit de**m**/eine**m**/keine**m** **Freund**	ich mit meine**m** Freund
neutr.	das Hobby	bei de**m**/eine**m**/keine**m** **Hobby**	du bei deine**m** Hobby
fem.	die Küche	in de**r**/eine**r**/keine**r** **Küche**	Jean Leichter in seine**r** Küche
Plural	die Kochbücher	aus de**n**/■/keine**n** **Kochbücher****n**	Tina kocht aus ihre**n** Kochbücher**n**.

doch (nach Ja-Nein-Fragen)

Schmeckt's dir?	Ja.	Nein.
Schmeckt's dir **nicht**? Isst du **keinen** Salat?	**Doch.** 	Nein.

Reflexive Verben

ich	beeile **mich**	**wir**	beeilen **uns**
du	beeilst **dich**	**ihr**	beeilt **euch**
er/es/sie	beeilt **sich**	**sie/Sie**	beeilen **sich**

Weitere reflexive Verben:
sich anziehen, sich ärgern, sich ausruhen, sich beschweren, sich freuen, sich (hin)setzen, sich langweilen, sich treffen, sich umziehen, …

Nebensatz mit *weil*

Hauptsatz	**Nebensatz mit *weil***			
Er freut sich,	**weil**	Lisa	zum Abendessen	**kommt**.
Er ärgert sich,	**weil**	sie	nicht	gekommen **ist**.
	Konnektor			Verb: Satzende

Lernziele

Berichte aus der Schulzeit verstehen
über die Schulzeit sprechen und Kommentare schreiben
beschreiben, wo etwas ist
über Gewohnheiten sprechen
Stadt-Tipps verstehen und geben
Informationen über ein Schulsystem verstehen
über Schultypen sprechen

Grammatik

Modalverben im Präteritum
Positionsverben *stehen, stellen, ...*
Wechselpräpositionen mit Dativ und Akkusativ

Nach der

Maja Schmidt (1)

mag: kreativ sein
nach der Schule: Praktikum bei Zeitschrift
jetzt: macht Schmuck
später: ______

Luis Mürrle (2)

mag: mit Menschen arbeiten
nach der Schule: ______
jetzt: Ausbildung zum Altenpfleger
später: ______

1 Wortschatz AB

a **Sehen Sie das Bild an. Was feiern die Leute? Worüber sprechen sie? Vermuten Sie.**

b **Hören Sie die Dialoge. Waren Ihre Vermutungen richtig?** (1.12–16)

Vielleicht sprechen sie über die Arbeit.

c **Hören Sie noch einmal und ergänzen Sie die Informationen auf den Steckbriefen.** (1.12–16)

Schulzeit

Simone Wellmann 3

mag: ____________

nach der Schule: *Au-pair in England*

jetzt: *studiert Informatik*

später: ____________

Lukas Kittner 4

mag: *Reisen*

nach der Schule: *Verkäufer in Sportgeschäft*

jetzt: ____________

später: ____________

Anna Müller 5

mag: *Menschen helfen*

nach der Schule: ____________

jetzt: ____________

später: *im Krankenhaus arbeiten, vielleicht in Berlin*

2 **Machen Sie ein Interview mit Ihrem Partner / Ihrer Partnerin und schreiben Sie einen Steckbrief für ihn/sie. Berichten Sie dann im Kurs über ihn/sie. Sie können die Steckbriefe im Kursraum aufhängen.**

Was hast du nach der Schule gemacht? • Was hast du dann gemacht? •
Hat dir das Spaß gemacht? • Was machst du jetzt? • Macht dir das Spaß? •
Was möchtest du später machen? / Was sind deine Pläne für die Zukunft?

Schule – eine schöne Zeit?

3 a Erinnerungen an die Schule. Lesen Sie die Einträge auf der Schulplattform. Immer zwei Einträge passen zusammen. Welche?

Suche | Plattform | Schule | Finde Freunde

Bernd Christiansen Schulzeit: 1986–1995	Ich wollte immer arbeiten, eine Wohnung haben, erwachsen sein. Komisch, oder? Jetzt sehe ich das natürlich ganz anders. In der Schule hatte ich viel mehr Zeit. Und 6 Wochen Sommerferien! Da konnte man machen, was man wollte.
Carsten Spatz Schulzeit: 1969–1978	Lernen hat mir keinen Spaß gemacht, ich wollte nur Sport machen. Ich bin aber gern in die Schule gegangen, ich hatte mit meinen Freunden immer einen Riesenspaß! Hauptsache, wir konnten die Lehrer ärgern ;-) Kennt noch jemand den Mathe-Lehrer Miesbach? Der Arme …
Sybille Michel Schulzeit: 1996–2004	Wer kennt noch die Englisch-Lehrerin Frau Lindner? Ich glaube, wir sollten jeden Tag 30 Wörter lernen und mussten fast jeden Tag einen Vokabeltest schreiben. Man durfte keinen Fehler machen, sie war sofort sauer. Zum Glück hatte ich auch tolle Lehrer. Herr Junge in Kunst zum Beispiel, der war super. Das waren meine Lieblingsstunden.
Kris Zoltau Schulzeit: 2000-2009	Ich wollte immer lange schlafen, aber ich musste jeden Tag schon um sechs Uhr aufstehen. Schrecklich! Ich habe auf dem Land gewohnt und musste mit dem Bus um sieben Uhr zur Schule fahren. Freunde konnte ich am Nachmittag nicht oft treffen, ich musste meistens lernen.
Kati Grubens Schulzeit: 1993–2002	Ja, die Kunststunden waren immer super. Ich erinnere mich gern an die Schule. Ich hatte gute Lehrer und der Unterricht hat meistens Spaß gemacht. Und ich habe viele Freunde gefunden. Mit vielen Schulfreunden habe ich heute noch Kontakt.
Anna Keindl Schulzeit: 2002–2010	Ich musste erst um Viertel nach sieben aufstehen, immer noch früh … Und ja, vor dem Abitur musste ich wirklich nur noch lernen, lernen, lernen. Aber jetzt bin ich an der Uni und muss noch mehr lernen. ;-)
Maxi Greiber Schulzeit: 1979–1988	Oh ja, ich hatte auch Mathe bei ihm. Wir haben einmal die Tafel mit Seife eingerieben und dann konnte er nichts mehr an die Tafel schreiben. Bei einer anderen Lehrerin haben wir die Tür mit Zeitungen zugeklebt. Ich habe viele lustige Erinnerungen an die Schule. Die Feste waren auch immer super.
Mehmet Özer Schulzeit: 1999–2007	Ja, das kenne ich gut. Jetzt arbeite ich und habe soooo wenig Zeit. In der Schulzeit konnte ich am Nachmittag meine Freunde treffen, und alle paar Wochen waren Ferien und ich konnte ausschlafen! Aber heute …

b Markieren Sie in den Texten die Modalverben im Präteritum.

4

a Ihre Erinnerungen. Schreiben Sie fünf Fragen mit Modalverben im Präteritum auf einen Zettel.

Was ...? Wann ...? Wie lange ...? Konntest du ...? Durftest du ...? Musstest du ...? Wolltest du ...? ...	viele Hausaufgaben machen • eine Schuluniform tragen • am Nachmittag in der Schule sein • am Abend / am Wochenende lernen • zu Fuß zur Schule gehen • Freunde treffen • in der Schule Mittag essen • Sport machen • am Computer lernen • ...

1. Musstest du viele Hausaufgaben machen? 2. Wann konntest ...

Modalverben im Präteritum

wollen

ich woll**te**	wir wollt**en**
du woll**test**	ihr woll**tet**
er/es/sie woll**te**	sie/Sie woll**ten**

auch: können – ich konn**te**, müssen – ich muss**te**, dürfen – ich durf**te**, sollen – ich soll**te**

b Gehen Sie durch den Kursraum und stellen Sie jede Frage einer anderen Person. Notieren Sie die Antworten.

1.17

Gut gesagt: Sie sind überrascht
Ach, nee! • Echt? • Ehrlich? • Ach, komm!

c Jemand aus dem Kurs ruft einen Namen. Haben Sie diese Person gefragt? Berichten Sie über die Person.

5

a Und Ihre Schulzeit? Was war für Sie schön? Was war nicht so schön? Schreiben Sie einen Beitrag für die Pinnwand.

Ich konnte besonders gut Texte schreiben und die Theatergruppe war super. Aber ...

b Mischen Sie alle Texte. Ziehen Sie dann einen Text. Lesen Sie und schreiben Sie einen kurzen Kommentar zu diesem Text. Hängen Sie dann alle Beiträge und Kommentare im Kursraum auf.

2.3

Das kann ich gut verstehen. Das war bei mir auch so / nicht so. Wirklich?
Das ist interessant. Wie komisch! Das ist ja lustig/komisch/schrecklich/...!
Das kenne ich gut. Nicht zu glauben! Das wundert mich. Das überrascht mich.

6

1.18

a *sp* und *st*. Hören Sie und sortieren Sie die Wörter.

Trainingsprogramm • Sport • Kunst • Transport • Gespräch • Spiel • lustig • Sprache • Fremdsprache • zuerst • Stunde • Fest • Spaß • Einweihungsparty

***sp* und *st* am Anfang eines Wortes oder Wortteils: Man spricht „*schp*" oder „*scht*".**	***sp* und *st* im Wort oder am Wortende: Man spricht „*sp*" oder „*st*".**
Sport, ...	

1.19

b Lesen Sie die Wörter und sortieren Sie sie wie in 6a. Hören Sie zur Kontrolle.

sprechen – Student – Samstag – Muttersprache – Stadt – Post – Donnerstag

Wo sind meine Sachen?

7

a In der WG. Hören Sie das Gespräch und korrigieren Sie die Aussagen.

1.20

1. Eva wohnt mit zwei Studentinnen zusammen.
2. Eva und Birte sind schon lange Freundinnen.
3. Eva kommt aus Südamerika zurück.
4. Birte studiert Spanisch.
5. Sören ist kein Student mehr.
6. In der Küche ist alles wie immer.

Eva wohnt mit zwei Studenten und …

b In der Küche. Arbeiten Sie zu zweit. Jeder wählt ein Bild. Fragen Sie Ihren Partner / Ihre Partnerin und antworten Sie.

1. Wo stehen die Tassen?
2. Wo ist der Zucker?
3. Wo liegt das Kochbuch?
4. Wo hängt die Uhr?

In Küche A stehen die Tassen im Schrank.

In Küche B stehen die Tassen …

1.21

c Hören Sie das Gespräch von Eva und Niklas. Wie sieht die Küche jetzt aus: wie Küche A oder B?

8

a Wohin hat Niklas die Sachen gestellt/gelegt/gehängt? Beschreiben Sie.

Kalender • Öl • Mehl • Salz • Teller • Bücher • Telefon

Niklas hat das Öl auf den Tisch gestellt.

b Spielen Sie zu viert an einem Tisch. Verschiedene Sachen liegen auf dem Tisch. Person A macht die Augen zu und dreht sich um. Die anderen verändern etwas. Person A macht die Augen auf und nennt die Veränderungen.

Ihr habt das Buch unter die Tasche gelegt.

Positionsverben und Wechselpräpositionen: ***in, an, auf, neben, zwischen, über, unter, vor, hinter.***

Wohin? ➲ Präposition + Akkusativ

Wohin hast du … gestellt/gelegt/gehängt?
der Schrank → **In den** Schrank.
das Regal → **Auf das** Regal.
die Tür → **Neben die** Tür.
Plural: die Zeitungen → **Auf die** Zeitungen.

Wo? ⊙ Präposition + Dativ

Wo steht/liegt/hängt …?
der Schrank → **Im** Schrank.
das Regal → **Auf dem** Regal.
die Tür → **Neben der** Tür.
Plural: die Zeitungen → **Auf den** Zeitungen.

9 **a** **Feste Plätze. Wohin stellen/legen/hängen Sie diese Sachen meistens? Notieren Sie.**

 ______________________  ______________________

______________________  ______________________ 

b **Berichten Sie im Kurs. Person A steht auf und sagt laut einen Satz wie im Beispiel. Wer hat den gleichen Ort? Stehen Sie auf, sagen Sie auch einen Satz und gehen Sie zu Person A. Person B hat einen anderen Ort. Sie steht auf und nennt den Ort. Wer hat den gleichen Ort? Stehen Sie auch auf, sagen Sie einen Satz und gehen Sie zu Person B.**

Ich hänge den Schlüssel neben die Tür.

Ich stelle meine Schuhe neben die Tür.

Ich …

Neu in der Stadt

10 **a** **Tipps für den Start in Graz. Lesen Sie die Forumstexte. Welche Frage passt zu welcher Antwort?**

neuingraz Hallo, ich bin neu in Graz. Seit einer Woche studiere ich hier. Jetzt möchte ich Graz kennenlernen und freue mich über Tipps! (1) Wohin bei schönem Wetter? (2) Und gibt es vielleicht irgendwas Typisches und Traditionelles? (3) Wohin geht man am Abend? (4) Ich brauche auch noch Tipps für ein Museum – meine Eltern kommen bald zu Besuch. Was könnt ihr mir empfehlen?

☐ ↳ **pief33** Servus! Am Abend kannst du ins „Bermudadreieck" gehen, das ist ein Beisl beim Färberplatz, da ist viel los. Ich treffe meine Freunde meistens im Univiertel, die Lokale dort sind günstig und nett.

☐ ↳ **bbgraz** Hallo Neugrazer! Du musst unbedingt in den Stadtpark gehen. Im Park kann man joggen oder auch in der Sonne liegen. Macht Spaß und du musst kein Geld ausgeben. Der Stadtpark ist neben der Oper – von dort gehst du einige Minuten zu Fuß.

☐ ↳ **lu@G** Herzlich willkommen! Magst du moderne Architektur und Kunst? Dann musst du ins Kunsthaus Graz gehen. Ich war dort schon oft in Ausstellungen und war nie enttäuscht, außerdem sieht es von außen toll aus.

☐ ↳ **Donau7** Warum nicht mal auf einen Ball gehen? Einmal im Leben muss man einen Walzer auf einem Ball tanzen. Und danach wieder Jeans tragen und ganz normal an der Uni lernen …

b **Welche Präpositionen sind Wechselpräpositionen? Markieren Sie in den Antworten die Wechselpräpositionen mit Ort und die Verben. Sammeln Sie Verb, Präposition und Kasus in einer Tabelle.**

2.4

Verb	Präposition	Kasus
gehen	in	Akk.
…		

11 **a** **Ihr Kursort. Bilden Sie vier Gruppen. Jede Gruppe notiert eine Frage aus dem Forum in 10a auf einem Blatt und gibt es weiter. Die zweite Gruppe antwortet und gibt das Blatt weiter an Gruppe 3 usw.**

Wohin geht man am Abend?
Auf den Marktplatz.
In die Disco „Enterprise".

b **Hängen Sie alle Beiträge im Kursraum auf.**

Schultypen in Deutschland

12 a Das Schulsystem in Thüringen. Sehen Sie die Grafik an. Welche Schultypen gibt es? Wie lange dauern sie? Welchen Abschluss macht man dort?

> In jedem Bundesland ist das **Schulsystem** ein bisschen anders.

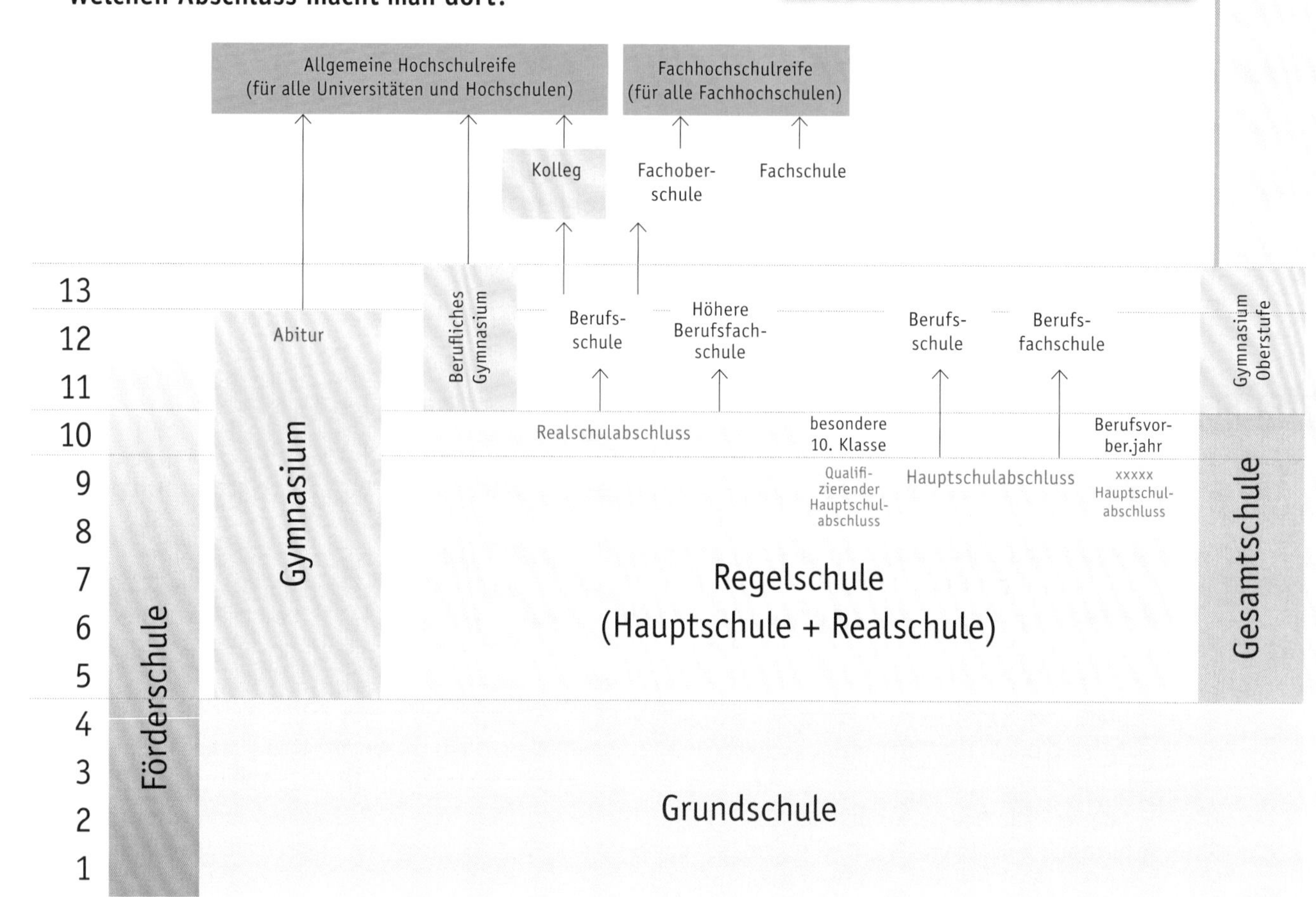

b Arbeiten Sie zu viert. Jeder wählt einen Text und ergänzt die Informationen in seinem Text und in der Tabelle.

Sebastian Lamm

Ich habe vor sechs Monaten mein Abitur gemacht. Ich möchte später Anglistik studieren und vielleicht Englischlehrer werden, aber zuerst mache ich ein Praktikum in einem Internat in England. Ich möchte jetzt endlich das Berufsleben kennenlernen.

Ich war 8 Jahre im ____________________, das war oft stressig. Ich habe drei Sprachen gelernt (Englisch, Französisch und Spanisch), das hat mir gut gefallen. Aber ich hatte auch viele andere Fächer. In Physik und Chemie hatte ich oft Probleme.

Vanessa Freytag

Ich war vier Jahre in der Grundschule und fünf Jahre in der ________________.
Wir hatten nicht so viele Fächer, zum Beispiel nur eine Fremdsprache. Deutsch, Mathe und die Vorbereitung auf die Arbeitswelt sind besonders wichtig. Wir haben oft Projekte gemacht, das war super.

Nach dem Hauptschulabschluss vor vier Jahren habe ich sofort eine Ausbildung als Arzthelferin begonnen. Ich möchte Karriere machen, deshalb lerne ich in einem Abendkurs. Ich möchte den Realschulabschluss machen.

Aishe Yilmaz

Ich war sechs Jahre an der ____________________, dort hat es mir eigentlich gut gefallen. Wir haben viel gelernt, wir hatten auch Praktika und die Schule dauert nicht so lange wie das Gymnasium. Vor zwei Jahren habe ich dann meinen Realschulabschluss gemacht.

Nach der Schule habe ich in einem Ferienclub in der Türkei gejobbt. Ich habe Sportstunden gegeben. Jetzt beginne ich eine Ausbildung als Physiotherapeutin.

David Kulprin

Ich war nur sechs Jahre an einer ____________________, weil ich kein Abitur machen wollte. Ich finde die ____________________ gut. Man muss sich nämlich nicht mit 10 Jahren für einen Schultyp entscheiden. Man kann alle Abschlüsse machen, also sind Stundenplan und Fächer wie an den anderen Schulen.

Für mich war der Realschulabschluss perfekt, ich wollte nämlich eine Ausbildung als Bankkaufmann machen. Seit zwei Monaten bin ich fertig und suche jetzt eine Arbeitsstelle.

	Sebastian Lamm	Vanessa Freytag	Aishe Yilmaz	David Kulprin
Schultyp				
Dauer				
Fächer				
Schulabschluss				
gut / nicht so gut	☺ *3 Sprachen* ☹ *Physik, Chemie*			

c Berichten Sie in Ihrer Gruppe über Ihren Text. Ergänzen Sie die fehlenden Informationen für die anderen Personen in der Tabelle.

Sebastian Lamm war im …

Er ist insgesamt 12 Jahre in die Schule gegangen.

d Welche Unterschiede gibt es zu Ihrem Land? Was ist ähnlich oder gleich? Vergleichen Sie im Kurs.

Bei uns dauert die Schule nur 11 Jahre.

Die Grundschule dauert sechs Jahre.

Es gibt auch ein Gymnasium.

13 a Ihre Traumschule. Arbeiten Sie in Gruppen. Was ist eine ideale Schule für Sie? Sammeln Sie gemeinsam und machen Sie Notizen.

Unterrichtszeiten • Ferien • Fächer • Lehrer • Klassenzimmer • Pausen • Stundenplan

b Präsentieren Sie Ihre Ergebnisse im Kurs.

In unserer Traumschule kann man die Fächer frei wählen. Der Unterricht beginnt um …

Der Film

14 a Die Schulzeit. Welche Dinge aus der Schulzeit möchten Sie auch in zwanzig Jahren noch haben? Was haben Sie noch? Sprechen Sie im Kurs.

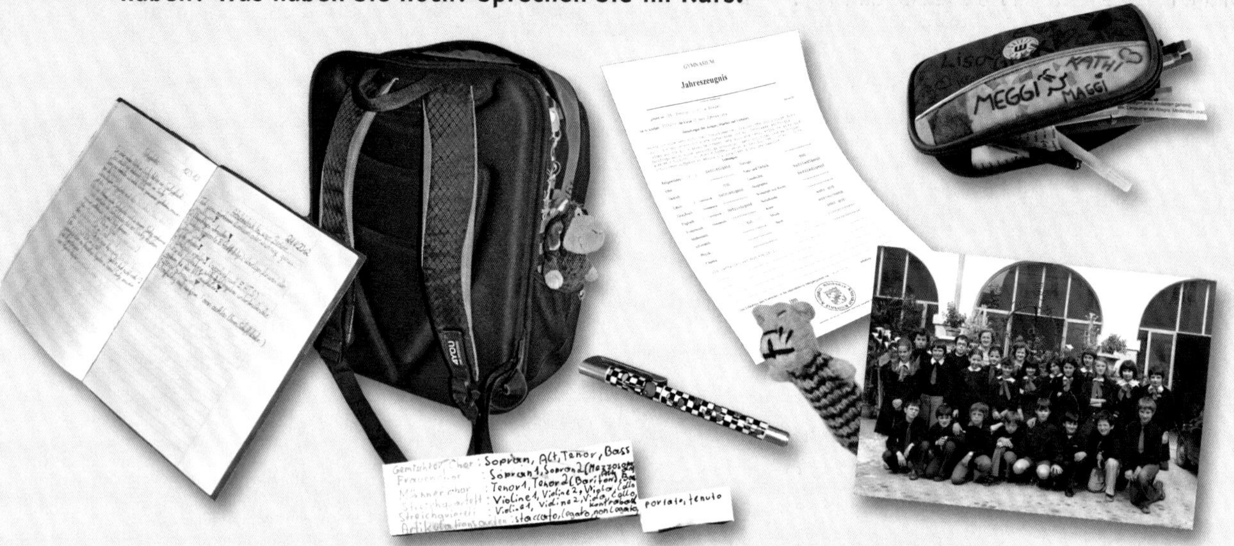

2.3

b Sehen Sie Szene 3. Was hat den Personen in der Schulzeit (nicht) gefallen?

	Annalisa	Frau Wagner	Bea
☺			
☹			

15 a Neu in München. Sie sind neu in einer Stadt und sprechen mit einem Kollegen / einer Kollegin. Was sagen oder fragen Sie? Sammeln Sie zu dritt und vergleichen Sie im Kurs.

2.4

b Sehen Sie Szene 4 und notieren Sie: Was möchte Iris wissen? Vergleichen Sie mit Ihren Fragen aus 15a.

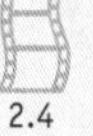
2.4

c Was antwortet Bea? Sehen Sie die Szene noch einmal und markieren Sie Beas Antworten.

1. Einkaufen? [a] In einer schönen Boutique in Neuhausen. [b] In einem Geschäft im Zentrum.
2. Weggehen? [a] Komm doch einfach mit mir mit. [b] Am besten holst du dir ein Monatsmagazin.
3. Berge? [a] Ja, warte ... [b] Nein, leider noch nicht.
4. Museum? [a] Im Kunstareal gibt es viele Museen. [b] Ich gehe am liebsten ins Lenbachhaus.

d Schreiben Sie einen Dialog wie in Szene 4 für Ihren Kursort oder Ihre Heimatstadt. Spielen Sie die Szene zu zweit.

Kurz und klar

über die Schulzeit sprechen

Wie lange musstest du Hausaufgaben machen? – Zwei Stunden am Tag.
Wann konntest du Sport machen? – Am Wochenende, da hatte ich Zeit.
Durftest du am Abend Freunde treffen? – Nein, nur am Wochenende.
Musstest du eine Schuluniform tragen? – Nein, ich konnte meine Kleidung selbst wählen.

Beiträge kommentieren

Das kann ich gut verstehen.
Wirklich?
Das kenne ich gut.
Nicht zu glauben!
Das wundert mich.
Das war bei mir auch so / nicht so.
Das ist interessant.
Wie komisch!
Das ist ja lustig/komisch/schrecklich/...!
Das überrascht mich.

beschreiben, wo etwas ist

Wo ist das Kochbuch? – Ich habe es ins Regal gestellt.
Wo ist die Tasse? – Ich habe sie in den Schrank gestellt.
Wohin hast du die Uhr gehängt? – Die Uhr hängt neben der Tür.
Wohin hast du das Messer gelegt? – Es liegt auf dem Tisch.

Grammatik

Modalverben im Präteritum

	wollen	**können**	**müssen**	**dürfen**	**sollen**
ich	woll**te**	konn**te**	muss**te**	durf**te**	soll**te**
du	woll**test**	konn**test**	muss**test**	durf**test**	soll**test**
er/es/sie	woll**te**	konn**te**	muss**te**	durf**te**	soll**te**
wir	woll**ten**	konn**ten**	muss**ten**	durf**ten**	soll**ten**
ihr	woll**tet**	konn**tet**	muss**tet**	durf**tet**	soll**tet**
sie/Sie	woll**ten**	konn**ten**	muss**ten**	durf**ten**	soll**ten**

Positionsverben

Wohin?	**Wo?**
stellen	stehen
legen	liegen
hängen	hängen

Wohin? – Ich stelle die Tasse in den Schrank.
Wo? – Die Tasse steht im Schrank.

Wechselpräpositionen mit Akkusativ und Dativ

Wohin? ➲ Präposition + Akkusativ

Wohin hast du meine Tasse gestellt?
der Schrank → **In den** Schrank.
das Regal → **Auf das** Regal.
die Tür → **Neben die** Tür.
die Zeitungen → **Auf die** Zeitungen.

Wo? ⊙ Präposition + Dativ

Wo ist die Tasse?
der Schrank → **Im** Schrank.
das Regal → **Auf dem** Regal.
die Tür → **Neben der** Tür.
die Zeitungen → **Auf den** Zeitungen.

Wechselpräpositionen:
in, an, auf, neben, zwischen, über, unter, vor, hinter

Lernziele

über Vor- und Nachteile sprechen
Vergleiche formulieren
die eigene Meinung sagen
über Vorlieben sprechen
über Filme sprechen
Kommentare zu einem Film verstehen
einen Kommentar schreiben

Grammatik

Komparativ
Vergleichssätze mit *als* oder *wie*
Nebensatz mit *dass*
Superlativ

E-Mails checken

telefonieren bloggen

Medien im Alltag

spielen

Radio hören

Musik hören

chatten

skypen

am Computer lernen

SMS schicken (simsen)

1 **Sehen Sie die Bilder an. Was machen die Personen auf den Fotos? Beschreiben Sie.**

Wortschatz AB

2 **a** **Ein Medientag. Hören Sie. Was haben die beiden Personen gemacht? Machen Sie Notizen.**

1.22–23

Veronika Nasch	Matthias Glinz
Zeitung gelesen, … emails gecheckt Radio gehört	Facebook geposten, emails gechecken, Tickets gekaufen, ferngesehen

auf Facebook geposten

im Online-Netzwerk etwas posten

Videos im Internet ansehen

Zeitung lesen

Musik herunterladen (downloaden)

Tickets kaufen

Dateien anklicken

m Internet surfen

fernsehen

Informationen recherchieren

b Welche Medien haben Sie gestern benutzt?

- [x] das Fernsehgerät
- [ ] das Radio
- [x] der Computer
- [ ] der MP4-Player / der I-Pod
- [ ] die Zeitung
- [x] das Buch
- [ ] die Spielekonsole
- [x] das Handy / das Smartphone
- [ ] der/das Tablet
- [ ] das E-Book

c Was machen Sie am häufigsten mit dem Computer oder Smartphone? Bringen Sie Ihre Aktivitäten in eine Reihenfolge. Vergleichen Sie mit einem Partner / einer Partnerin.

3.5

oft	manchmal	selten	nie	
90-80%	80-60%	60-30%	Ø	immer = 100%

3 Wie heißt das in Ihrer Sprache? Ergänzen Sie.

Englisch	Deutsch		Ihre Sprache
to chat	chatten	Chatt**est** du oft?	
to skype	skypen	Wir haben gestern **ge**skyp**t**.	
to twitter	twittern	Frau Lindström twitter**t** oft.	
to blog	bloggen	Ralf hat auf seiner Reise **ge**blogg**t**.	

Was ist besser?

4 a Medienwelt. Was sehen Sie auf den Fotos?

Auf Foto A sieht man …

einen Laptop, DVD's

A 4

einen tablet, einen Computer

B 1

zwei Handys

C 3

das Handy

das Smartphone

das Kindel, die Bucher

D 2

b Hören Sie vier Gespräche. Zu welchen Fotos passen die Gespräche? Ordnen Sie zu. (1.24–27)

c Ergänzen Sie den Dialog. Hören Sie noch einmal zur Kontrolle. (1.28)

lieber • besser • praktischer • größer • billiger • mehr • cooler

- Kauf doch ein Tablet. Das ist viel praktischer als ein Laptop. Und mehr.
- Findest du? Auf dem Laptop kann man aber billiger schreiben und der Bildschirm ist lieber.
- Aber ein Laptop kostet größer als ein Tablet. Tablets sind cooler als Laptops.
- Das stimmt. Aber ich arbeite besser mit einem Laptop als mit einem Tablet.

Komparativ

billig – billig**er**
groß – größ**er**
teuer – teu**rer**
gut – **besser**
gern – **lieber**
viel – **mehr**

d Und Sie? Sprechen Sie über die Fotos und vergleichen Sie. light(weight) ≠ schwer

praktisch • schnell • teuer • langsam • billig • gut • modern • leicht • klein • cool • …

Ich finde E-Books besser als Bücher, weil Bücher so viel Platz brauchen.

Ein Smartphone ist praktischer als ein Handy, weil …

Das ist wichtig für mich

5

1.29–32

a Hören Sie die Umfrage. Welche Geräte sind für die Leute wichtig? Ergänzen Sie die Aussagen.

	Warum?
Mein Smartphone ist für mich wichtiger als mein Laptop. *Paula, 30 Jahre*	*kann alles machen: telefonieren, E-Mails schreiben, …* fotografieren, im internet surf
Der Computer ist zurzeit nicht so wichtig wie meine Spielekonsole. *Luis, 12 Jahre*	machen hausaufgabe spielkonsole spielen mit freundin
Mein computer ist für mich genauso wichtig wie mein fernseher. *Otto, 65 Jahre*	skypen sich entspannen mit fernseher.
Mein laptop ist für mich wichtiger als mein handy. *Levin, 20 Jahre*	er arbeitet und sehen film an.

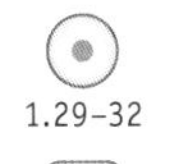

1.29–32

b Hören Sie noch einmal. Warum ist dieses Gerät so wichtig für die Leute? Ergänzen Sie die Tabelle in 5a und berichten Sie.

Für Paula ist das Smartphone wichtiger als der Laptop, weil sie mit dem Smartphone …

Vergleiche mit *als, wie*

Mein Smartphone ist für mich **wichtiger als** mein Laptop.

Mein Fernseher ist für mich **(genau)so wichtig wie** mein Computer.

Mein Handy ist **nicht (genau)so wichtig wie** mein Laptop.

c Und Sie? Schreiben Sie zwei Vergleichssätze und vergleichen Sie im Kurs. Welche Geräte sind in Ihrem Kurs besonders wichtig?

Für mich ist das Handy wichtiger als …
Ich benutze meinen Laptop nicht so oft wie …

6

1.33

a *b* oder *w*? Welche Web-Adresse hören Sie? Markieren Sie.

1	2	3	4	5	6	7	8
balder.de	benger.ch	balter.at	busch.de	beiser.at	billner.ch	bachmann.de	bock.at
walder.de	wenger.ch	walter.at	wusch.de	weiser.at	willner.ch	wachmann.de	wock.at

1.34

b Lesen Sie die Sätze laut und hören Sie zur Kontrolle.

1. Wann willst du das Buch bezahlen?
2. Wahrscheinlich wünscht er sich wieder ein E-Book.
3. Warum willst du den Blogbeitrag lesen?

c Spielen Sie „Stille Post". Flüstern Sie Ihrem Nachbarn / Ihrer Nachbarin ein Wort mit dem Anfangsbuchstaben b oder w ins Ohr. Er/Sie flüstert das Wort weiter. Der Letzte schreibt das Wort an die Tafel. Ist es richtig geschrieben? Danach beginnt eine neue Runde.

Meine Meinung ist ...

7 **a** **Lesen Sie die Texte. Was finden die Personen gut, was nicht? Notieren Sie.**

Ein Thema, zwei Meinungen: Internet – eine Gefahr?

→ **Steven Amann, 34**
Für mich persönlich ist es sehr gut, dass es das Internet gibt. Ich glaube, dass ich jeden Tag den Computer anmache und online bin. Ich kann schnell Informationen finden. Das Internet macht es auch möglich, dass ich mit Leuten an ganz anderen Orten zusammenarbeite. Wir telefonieren auch über das Internet. Aber es gibt auch Probleme: Jugendliche stellen zu viel private Informationen ins Netz. Sie müssen vorsichtiger sein. Und ich finde es schade, dass die Leute so viel Zeit im Internet verbringen.

→ **Katrin Hofer, 23**
Mein Computer ist fast immer an. Ich finde es total gut, dass ich im Internet immer einkaufen kann, am Tag oder auch in der Nacht. Das geht einfach und schnell und ist billig. Und ich meine, dass man oft wirklich gute Dinge finden kann. Ich habe auch über Facebook und E-Mails immer Kontakt zu meinen Freunden.
Manche Leute reden von den Gefahren im Internet. Aber es gibt doch überall Kriminelle! Wichtig ist, dass man ein bisschen aufpasst, nicht nur im Internet.

Internet: Vorteile	*Internet: Nachteile*

b **Suchen Sie Sätze mit *dass* in 7a. Markieren Sie *dass* und das Verb.**

c **Wer sagt das? Schreiben Sie dass-Sätze in den Kasten.**

Einkaufen im Internet ist oft billiger.

Die Kollegen rufen über das Internet an.

Man kann gemeinsam an Projekten arbeiten.

Nicht nur im Internet muss man aufpassen.

Nebensatz mit *dass*

Hauptsatz	**Nebensatz**			
Steven Amann sagt,	______	man	gemeinsam an Projekten	arbeiten **kann**.
Er findet es gut,	*dass*	______	______	**anrufen**.
Katrin Hofer ist froh,	______	Einkaufen	im Internet ______	______.
Sie sagt,	______	______	______	______.
	Konnektor			Verb: Satzende

8 **Und was ist Ihre Meinung? Sprechen Sie in Gruppen.**

Ich glaube/denke/finde/meine, dass ...
Ich finde es gut/wichtig/interessant, dass ...
Ich bin sicher/froh/glücklich/..., dass ...
Es ist gut/schlecht/..., dass ...

nützlich sein • wichtig sein • spielen • gefährlich sein • überall online sein • Informationen suchen und finden • zu Hause arbeiten • Freunde finden • ...

Ich denke, dass das Internet nicht gefährlich ist.

Das mache ich am liebsten

9 **a** **Interview mit Dieter Mayr. Lesen Sie die Antworten. Was waren die Fragen? Ordnen Sie zu.**

Dieter Mayr ist Fotograf. Nach 12 Jahren in New York lebt und arbeitet er jetzt in München. Er fotografiert für Zeitschriften, Werbung und Buchverlage.

Fragen

A Was fotografieren Sie am liebsten?
B Was gefällt Ihnen in Ihrem Beruf am besten?
C Was ist bei Ihrer Arbeit am wichtigsten?
D Was machen Sie am liebsten in Ihrer Freizeit?
E Was wollten Sie als Kind werden?
F Welche Musik hören Sie am häufigsten?
G Welcher Star war am nettesten?
H Welches Shooting hat am längsten gedauert?

Antworten

1. _E_ Fußballer. Fußballprofi, das war mein Traumberuf.
2. ____ Ich lerne immer wieder interessante Menschen kennen.
3. ____ Menschen in jedem Alter. Das mache ich lieber als Fotos von Landschaften oder Produkten.
4. ____ Bully Herbig. Er ist nicht so kompliziert wie viele andere Stars.
5. ____ Das Porträt des Rappers DMX. Er ist sechs Stunden zu spät gekommen.
6. ____ Am wichtigsten ist, dass das Licht stimmt.
7. ____ Ich gehe ins Stadion und sehe ein Spiel von meinem Lieblingsverein, dem FC Bayern.
8. ____ Klassik und Johnny Cash.

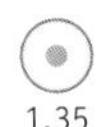
1.35

b **Hören Sie das Interview und kontrollieren Sie Ihre Lösungen.**

3.6

c **Markieren Sie im Interview die Adjektive im Superlativ.**

d **Besuchen Sie die Homepage von Dieter Mayr: www.dietermayr.com. Welches Foto gefällt Ihnen am besten? Berichten Sie.**

Ich finde das Foto … am schönsten.

Superlativ

schön	schöner	am schön**sten**
gut	besser	**am besten**
gern	lieber	**am liebsten**
viel	mehr	**am meisten**

10 **a** **Welche berühmte Person möchten Sie interviewen? Was möchten Sie fragen? Schreiben Sie fünf bis acht Fragen nach dem Muster von 9a auf ein Blatt.**

Mario Götze:
Was essen Sie am liebsten?
Welche Musik …?

Steigerung
Viele kurze Adjektive haben bei der Steigerung einen Umlaut:
alt – **ä**lter – am **ä**ltesten

b **Wer möchte Ihre Person spielen? Suchen Sie einen Partner / eine Partnerin und machen Sie mit ihm/ihr das Interview. Berichten Sie dann im Kurs.**

Mario Götze isst am liebsten das Essen von seiner Oma.

1.36

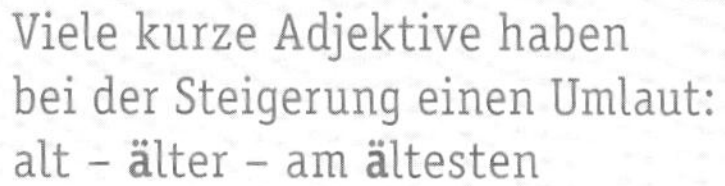

Gut gesagt: in einem Gespräch Zeit gewinnen oder Wörter suchen
Wie sagt man gleich?
Warten Sie mal! / Warte mal!
Äh …
Ein, ein … Dingsbums. Wie heißt das?

Kino! Kino!

11 **Bilden Sie kleine Gruppen und sprechen Sie über Filme. Die Fragen helfen.**

1. Wie oft sehen Sie Filme?
2. Was für Filme (Komödie, Thriller, Romanze, Fantasy-Film, Actionfilm, ...) sehen Sie gern?
3. Wo sehen Sie Filme? Im Fernsehen, im Kino, auf DVD oder im Internet?
4. Was ist Ihr Lieblingsfilm?
5. Wer sind Ihre Lieblingsschauspieler, wer Ihr Lieblingsregisseur?
6. Bei welchem Film haben Sie viel gelacht oder geweint?

> **Filme auf Deutsch**
> Sehen Sie Ihre Lieblings-DVD auf Deutsch an.

12 a **Lesen Sie die Filmbeschreibung und die Aussagen. Sind die Aussagen richtig oder falsch? Korrigieren Sie die falschen Sätze.**

Mitte der Sechzigerjahre sind Hüseyin Yilmaz und seine Familie (wie viele andere Familien auch) aus der Türkei nach Deutschland gekommen – als Ausländer und Gastarbeiter. 40 Jahre später ist das fremde Land – wenigstens für die Kinder und Enkel – zur Heimat geworden. Bei einem Essen überrascht Hüseyin Yilmaz seine Familie mit der Nachricht, dass er ein Haus in der Türkei gekauft hat. Die Familie ist skeptisch, fährt aber mit ihm zusammen in die Türkei. Auf der langen Reise in einem Kleinbus gibt es viele Konflikte und Versöhnungen. Diese Komödie zeigt das Leben einer türkischen Familie über 40 Jahre in Deutschland und macht sich über viele Vorurteile lustig. In der ersten Hälfte bringt der Film die Zuschauer zum Lachen, in der zweiten auch zum Weinen.

	richtig	falsch
1. Der Film ist ein Actionfilm.	☐	☐
2. In dem Film geht es um eine Familie aus der Türkei.	☐	☐
3. Die Familie lebt seit vier Jahren in Deutschland.	☐	☐
4. Der Vater fährt allein in die Türkei.	☐	☐
5. Der Film ist lustig und traurig.	☐	☐

b **Lesen Sie die Kommentare zum Film. Wie viele Sterne geben die Leute dem Film? Markieren Sie die Sterne.**

Einfach klasse ★★★★★ — von TimTam

Ich finde den Film super. Er ist wirklich lustig, aber auch spannend. Er spielt in Deutschland und in der Türkei. Das Thema kann nicht aktueller sein, das ist immer interessant. Wirklich empfehlenswert!

Ganz gut, aber nicht mehr ☆☆☆☆☆ — von Peterson

Der Film ist ganz gut, aber kein Highlight. Manche Szenen sind sehr lustig, andere eher Durchschnitt. Man muss den Film nicht zweimal sehen.

Zu viele Klischees ☆☆☆☆☆ — von Korsan

Der Film hat mir nicht gefallen. Er ist überhaupt nicht realistisch. Die Handlung ist total langweilig. Das Ende hat mir am wenigsten gefallen.

Viele super Ideen ☆☆☆☆☆ — von Nora

Das ist mein Lieblingsfilm! Diese Komödie macht wirklich Spaß. Man kann viel lachen, aber manchmal ist es auch traurig. Die Schauspieler sind auch sehr gut. Am besten ist der Hauptdarsteller Vedat Erincin. Er ist so sympathisch! Echt toll! Ihr müsst diesen Film sehen!

c Welche Formulierungen sind sehr positiv, welche positiv, welche negativ? Ordnen Sie zu.

~~Der Film ist ganz nett.~~ • Sehr spannend! • Die Handlung ist nicht logisch. • Der Film ist langweilig. • Das Ende hat mir nicht gefallen. • Der Film ist toll! • Die Schauspieler sind sehr gut. • Die Geschichte ist interessant. • Ich finde den Film sehr gut.

	Der Film ist ganz nett.	

d Ergänzen Sie in der Tabelle weitere Formulierungen aus den Kommentaren in 12b.

13 a Welchen Film haben Sie zuletzt gesehen? Suchen Sie im Internet eine kurze Beschreibung und bringen Sie sie in den Kurs mit.

b Schreiben Sie einen Kommentar zu dem Film. Verwenden Sie auch die Formulierungen aus 12c.

Good Bye, Lenin!
Ich finde den Film super. Man kann viel lachen, aber manchmal ist er auch traurig. Der Film ist interessant und macht neugierig auf das Thema …

c Hängen Sie alle Filmbeschreibungen und Kommentare im Kursraum auf. Welchen Film kennen Sie auch? Schreiben Sie einen Kommentar dazu.

Der Film

14 a Alte und neue Medien. Bilden Sie Gruppen und sehen Sie Szene 5 ohne Ton. Vermuten Sie: Was passiert? Die Fragen helfen.

3.5

Was macht Felix? Warum kommt Ella zu Felix? Was macht Ella bei Felix? Über was sprechen sie?

b Sehen Sie Szene 5 mit Ton. Welche Gruppe hatte mit ihren Vermutungen recht?

3.5

Was kann man alles mit dem Tablet machen?

c Notieren Sie die Antworten von Felix.

d Können Sie sich vorstellen, für einen Tag / eine Woche / einen Monat nur „alte" Medien zu nutzen? Oder nur neue? Diskutieren Sie.

15 a Bitte lächeln! Sehen Sie das Foto an. Wo ist Bea? Warum ist sie dort? Vermuten Sie.

b Sehen Sie Szene 6. Waren Ihre Vermutungen richtig?

3.6

c Wer sagt was? Verbinden Sie und sehen Sie noch einmal zur Kontrolle.

3.6

Fotografin

1. Was fotografieren Sie eigentlich am liebsten?
2. Und ganz freundlich mit den Augen …
3. Und jetzt schauen Sie mich an.
4. Ich brauche Fotos für eine Bewerbung.
5. Dann kommen Sie mit mir mit.
6. Das Studio ist im ersten Stock.
7. Ah, Kundschaft. Also dann bis übermorgen.
8. Und wann sind die Fotos fertig?
9. Was kann ich für Sie tun?
10. Am liebsten Menschen.

Bea

d Machen Sie zu dritt ein Fotoshooting. Einer spielt den Fotografen und gibt Anweisungen, die zwei anderen sind Fotomodelle. Dann tauschen Sie die Rollen.

Bitte lachen/lächeln! • Kopf nach oben / zur Seite / nach links/rechts … • Schultern zurück! • …

Kurz und klar

über Vor- und Nachteile sprechen, Vergleiche formulieren

Ich finde, ein Tablet ist praktischer als ein Laptop.
Ich finde E-Books besser als Bücher, weil Bücher so viel Platz brauchen.
Der Computer ist nicht so wichtig wie meine Spielekonsole.

die eigene Meinung ausdrücken

Ich glaube/denke/finde, dass das Internet sehr nützlich ist.
Ich finde es gut/wichtig/..., dass ich zu Hause arbeiten kann.
Ich bin sicher/froh/glücklich/..., dass man im Internet Informationen finden kann.

über Vorlieben sprechen

Am liebsten höre ich Klassik.
Mir gefällt Fußball am besten.
Ich finde Bully Herbig am nettesten.

über Filme sprechen/schreiben

Der Film ist toll/lustig/spannend!
Ich finde den Film sehr gut/super.
Das ist mein Lieblingsfilm!
Die Schauspieler sind sehr gut.
Diese Komödie macht wirklich Spaß.
Sehr spannend!
Wirklich empfehlenswert!

Der Film ist ganz nett.
Die Geschichte ist interessant.
Der Film ist ganz gut, aber kein Highlight.
Manche Szenen sind sehr lustig, andere eher Durchschnitt.

Die Handlung ist nicht logisch.
Der Film ist langweilig.
Man muss den Film nicht zweimal sehen.
Er ist überhaupt nicht realistisch.
Das Ende hat mir nicht gefallen / am wenigsten gefallen.

Grammatik

Adjektive: Komparativ und Superlativ

	Komparativ	Superlativ
billig	billig**er**	**am** billig**sten**
groß	größ**er**	**am** größ**ten**
nett	nett**er**	**am** nett**esten**
teuer	teur**er**	**am** teuer**sten**
gut	**besser**	**am besten**
gern	**lieber**	**am liebsten**
viel	**mehr**	**am meisten**

Vergleiche

Mein Smartphone ist für mich **wichtiger als** mein Laptop.

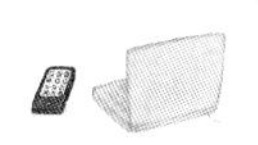

Mein Fernseher ist für mich **(genau) so wichtig wie** mein Computer.

Mein Handy ist **nicht (genau) so wichtig wie** mein Laptop.

Nebensatz mit *dass*

Hauptsatz			Nebensatz mit *dass*			
Katrin Hofer	ist	froh,	**dass**	Einkaufen	im Internet oft billiger	**ist.**
Steven	sagt,		**dass**	man	gemeinsam an Projekten	arbeiten **kann.**
Er	findet	es gut,	**dass**	die Kollegen	über das Internet	**anrufen.**
			Konnektor			Verb: Satzende

Wiederholungsspiel

1 **Spielen Sie zu zweit oder in zwei Paaren. Sie brauchen zwei Spielfiguren und einen Würfel.**
Ziel: Sammeln Sie so viele Punkte wie möglich.

Sie beginnen bei „Start". Würfeln Sie und ziehen Sie Ihre Spielfigur. Sie dürfen vorwärts (→) oder rückwärts (←) gehen.

8 Sie kommen auf ein nummeriertes Aufgabenfeld: Lösen Sie die gelbe Aufgabe oder die orange Aufgabe mit dieser Nummer.
Sie lösen eine gelbe Aufgabe richtig: 1 Punkt. Sie lösen eine orange Aufgabe richtig: 2 Punkte.
Sie lösen die Aufgabe falsch: Sie verlieren 1 Punkt bei Gelb oder 2 Punkte bei Orange.
Notieren Sie Ihre Punkte.

+2 Auf den roten Feldern bekommen Sie zwei Extrapunkte,

-1 auf den blauen Feldern einen Minuspunkt.

X Wenn Sie auf das grüne Feld kommen, müssen Sie einmal aussetzen.

Auf diesem Feld müssen Sie nichts machen.

Sie dürfen jede Aufgabe nur einmal lösen. Wenn also der andere Spieler schon die gelbe Aufgabe gelöst hat, müssen Sie die orange Aufgabe nehmen. Wenn der erste Spieler das Ziel erreicht hat, zählen Sie die Punkte. Wer hat die meisten Punkte?

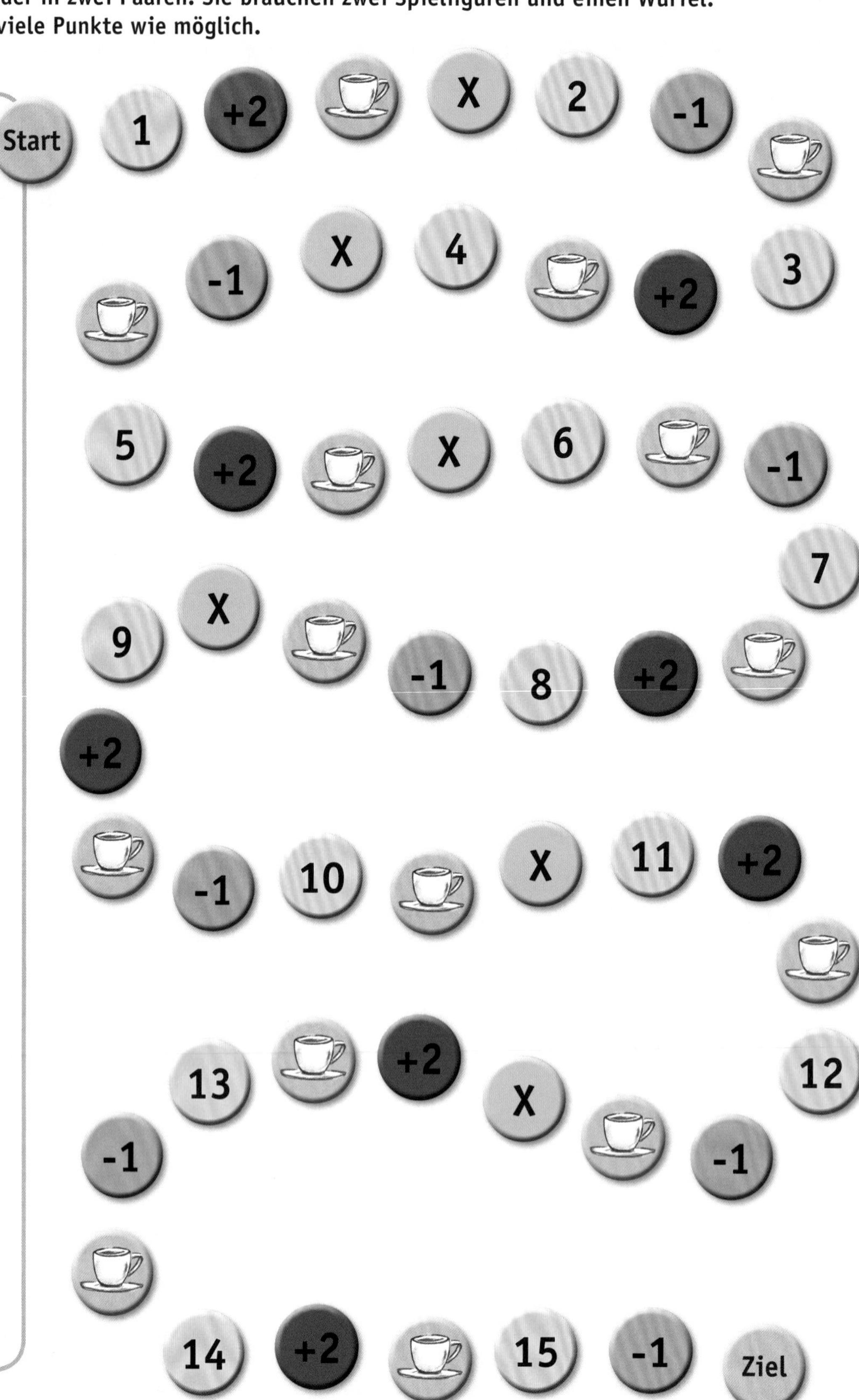

1. Wie heißt der Artikel? _____ Herd, _____ Topf, _____ Messer
2. Was macht man mit Gemüse? Nennen Sie zwei weitere passende Verben: Gemüse schälen, Gemüse ...
3. Ergänzen Sie die Endungen: Claudia hat von ihr____ Mutter Italienisch gelernt. Max spielt oft mit sein____ Vater Schach.
4. Ergänzen Sie das Reflexivpronomen: Claudia und Max treffen ______ heute Abend im Kino.
5. Bilden Sie einen Satz: du – müssen – sich beeilen
6. Verbinden Sie die Sätze mit *weil*: Claudia ist glücklich. Sie hat Max getroffen.
7. Wie heißen die Präteritum-Formen von *dürfen*? Ich _______, du __________, er/es/sie __________, wir __________, ihr __________, sie/Sie __________
8. Modalverben im Präteritum. Ergänzen Sie: Am Nachmittag m_______ ich lernen, aber am Abend k________ ich am Computer spielen.
9. Ergänzen Sie die Artikel: Ich habe den Teller in _____ Schrank gestellt. Die Tasse steht auf ______ Tisch.
10. *Liegen* oder *legen*? Ich _______ die Zeitung ins Regal.
11. Nennen Sie noch drei Medien: der Fernseher, ...
12. *wie* oder *als*? Ich esse lieber Reis ______ Kartoffeln. Ich koche nicht so gut ______ mein Vater.
13. Ergänzen Sie Komparativ und Superlativ: wichtig – wichtiger – am wichtigsten, lang – __________ – __________, nett – __________ – __________
14. Ergänzen Sie den Superlativ: In meiner Freizeit gehe ich am _______ ins Kino.
15. Ergänzen Sie: Susi hat gesagt, _______ sie oft im Internet surft.

1. Was braucht man in der Küche? Nennen Sie drei Gegenstände mit Artikel.
2. Wie heißen die Verben?
3. Ergänzen Sie die Possessivartikel: Lisa geht mit ________ Mutter einkaufen. Dann kocht sie für _______ Familie Mittagessen.
4. Nennen Sie noch drei reflexive Verben: *sich freuen*, ...
5. Reflexivpronomen. Was gehört zusammen? *ich – mich*, ...

   sich • ich • euch • du • ihr • sie • dich • sich • uns • mich • wir • er

6. Antworten Sie mit *weil*: Warum sind Sie so müde?
7. Wie heißt das Präteritum? er muss – er ________, er kann – er ________, er will – er ________
8. Modalverben im Präteritum. Welches Modalverb passt? Früher ________ ich immer viele Hausaufgaben machen und ________ meine Freunde nicht oft treffen.
9. Bilden Sie Sätze: ich – legen – das Buch – auf – der Tisch, das Handy – liegen – unter – der Stuhl
10. Welches Verb passt?
    Die Frau ________ die Uhr an die Wand.
11. Was kann man im Internet machen? Bilden Sie drei Sätze.
12. Vergleichen Sie. Bilden Sie einen Satz mit *als* und einen Satz mit *wie*.
13. Ergänzen Sie Komparativ und Superlativ: gern – lieber – am liebsten, gut – __________ – __________, viel – ________ – __________
14. Was machen Sie am liebsten in Ihrer Freizeit? Bilden Sie drei Sätze mit *gern, lieber, am liebsten*.
15. Was denken Sie über das Internet? Bilden Sie einen Satz: Ich denke, dass ...

Eine Schulgeschichte

2

a Was kennen Sie aus Ihrer Schulzeit? Lesen Sie, kreuzen Sie an und ergänzen Sie.

[1] eine schlechte Note schreiben
[2] Hausaufgaben vergessen
[3] eine Unterschrift von den Eltern mitbringen müssen
[4] zu spät kommen
[5] bei einer Prüfung abschreiben – und der Lehrer sieht es ...
[6] Bücher oder Hefte vergessen
[7] nicht in den Unterricht gehen
[8] ...

b Was haben Sie in den Situationen in 2a gemacht? Erzählen Sie.

3

a Sehen Sie Bild 1 an.
Beschreiben Sie das Bild.

Auf dem Bild sieht man einen Lehrer und ...

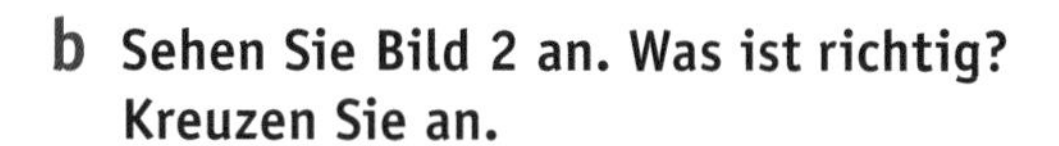

b Sehen Sie Bild 2 an. Was ist richtig? Kreuzen Sie an.

1. Der Schüler soll die Aufgabe neu machen. ☐
2. Er soll ein neues Heft kaufen. ☐
3. Sein Vater soll im Heft unterschreiben. ☐
4. Der Schüler soll im Heft unterschreiben. ☐

c Arbeiten Sie zu zweit. Machen Sie Notizen für einen Dialog zwischen Vater und Sohn. Spielen Sie dann Ihren Dialog.

Vater: Was machst du da?
Sohn: Ich kann nichts sehen. Ich übe ...

d Wie geht die Geschichte weiter? Erzählen Sie.

das Heft wieder in die Schultasche packen • die Unterschrift üben • ausprobieren • die Augen verbinden • das Heft vor den Vater legen • das Heft aus der Schultasche nehmen • nichts sehen können • ...

Der Vater möchte auch ...

4

a Tricks von Schülern. Lesen Sie die Situationen. Schreiben Sie zu drei Kärtchen einen Trick.

Ihr Handy klingelt im Unterricht.

Sie haben für eine Prüfung nicht gelernt.

Sie haben verschlafen.

Sie haben Ihre Hausaufgaben nicht gemacht.

Der Lehrer stellt Ihnen eine Frage, aber Sie haben nicht zugehört.

Sie wollen nicht zum Schulsport gehen.

...

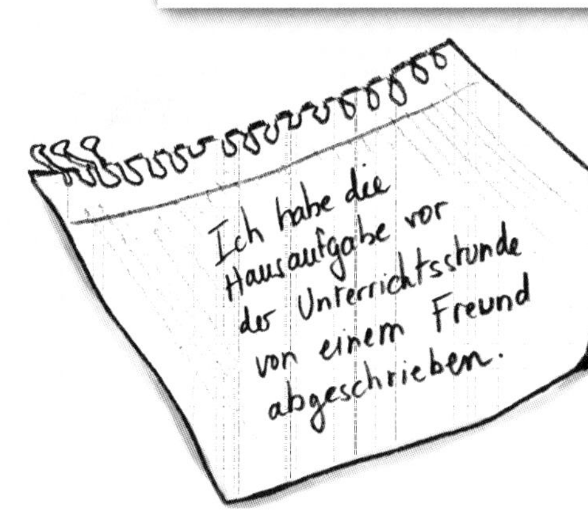

b Vergleichen Sie die Tricks. Welche sind am besten?

Lernziele

sich bedanken und Glückwünsche aussprechen
über Gefühle sprechen
Informationen über Festivals verstehen und darüber sprechen
über eine Stadt schreiben
Freude/Bedauern ausdrücken
über ein Lied sprechen
Blogeinträge verstehen und schreiben, Überschriften finden

Grammatik

Nebensatz mit *wenn*
Adjektive nach dem bestimmten Artikel

1

das Abiturzeugnis

Große und kleine Gefühle

2

der Führerschein

3

die Schultüte

1 a Arbeiten Sie in Gruppen. Jeder wählt ein Bild und beschreibt es. Was sehen Sie auf dem Bild? Was machen die Leute? Die anderen raten: Welches Ereignis ist das? Die Wörter im Kasten helfen.

die Hochzeit • der Schulabschluss • der erste Schultag • die Führerscheinprüfung • die Geburt von einem Kind • der erste Platz • das Jubiläum in der Firma

Es gibt ein Kind mit …

die Medaille

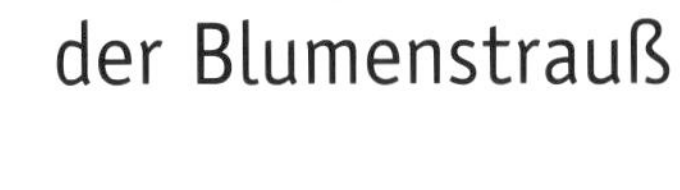
der Blumenstrauß

die Ringe

6

der Storch
die Babykleidung

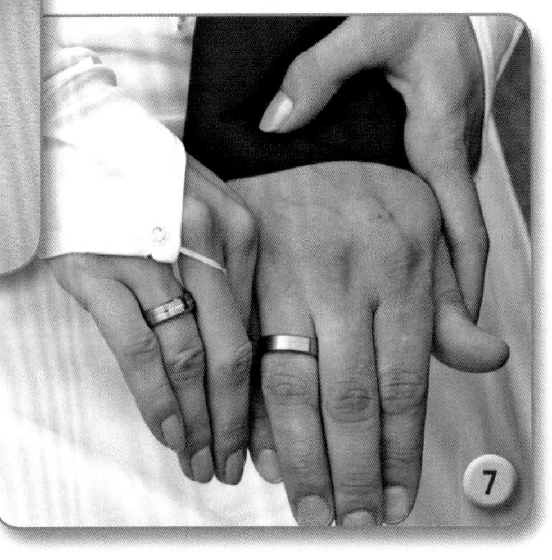

1.37–39

b Hören Sie die drei Gespräche. Zu welchen Fotos passen Sie?

Gespräch 1: Foto ______ Gespräch 2: Foto ________ Gespräch 3: Foto ________

2

Und bei Ihnen? Was feiert man bei Ihnen auch, was nicht? Wählen Sie ein Ereignis und berichten Sie. Die Fragen helfen Ihnen. Zeigen Sie auch Ihre Fotos von Festen oder Ereignissen.

Wie feiert man? Was machen/sagen die Leute?
Wer lädt ein? Gibt es Geschenke/Musik/Essen/...?
...

Herzlichen Glückwunsch

3 a Lesen Sie die Karten. Welche Karte passt wo? Welche Karte fehlt?

1. ____ Einladung zur Hochzeit
2. ____ Glückwunschkarte von Gästen
3. ____ Dankeskarte nach der Hochzeit an die Gäste
4. ____ Glückwunschkarte und Absage

A

Ein Traum

Blumen, Glückwünsche, Geschenke, Freunde, Spaß und Lachen – ein wunderbarer Tag!

Herzlichen Dank für die Glückwünsche und Geschenke zu unserer Hochzeit.

Julia & Thorsten

B

Liebe Julia, lieber Thorsten,

Wie schön, Ihr heiratet! Tausend Dank für die Einladung zu Eurer Hochzeit. Wir haben uns sehr gefreut. Leider können wir nicht kommen, weil wir im Urlaub sind.
Wir gratulieren Euch sehr herzlich und wünschen Euch alles Liebe zu Eurer Hochzeit und eine sehr schöne Feier!

Herzliche Grüße
Petra und Jan

C

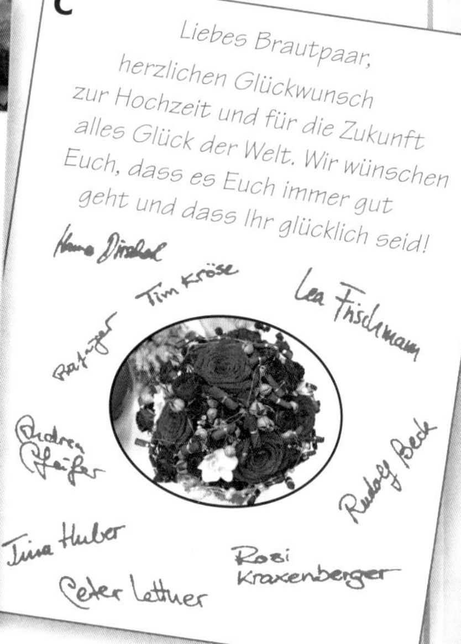

Liebes Brautpaar,
herzlichen Glückwunsch zur Hochzeit und für die Zukunft alles Glück der Welt. Wir wünschen Euch, dass es Euch immer gut geht und dass Ihr glücklich seid!

Tim Kröse
Lea Fischmann
Tina Huber
Peter Lettner
Rosi Kraxenberger

b Ergänzen Sie Ausdrücke aus den Karten.

Glückwünsche aussprechen	sich bedanken
Alles Gute! / Viel Glück!	Danke! / Danke sehr! / Danke schön …
Wir gratulieren Euch …	*Herzlichen …*
______	______
______	______

c Wählen Sie eine Situation und schreiben Sie eine Karte oder E-Mail.

1. Sie hatten Geburtstag und möchten sich bei Ihren Freunden für die Geschenke bedanken.
2. Sie können nicht zu einer Geburtstagsfeier kommen.
3. Sie schreiben einem Freund zum Geburtstag und gratulieren ihm.

d Spielen Sie „Geschenke überreichen". Machen Sie einen Kreis. A gratuliert, gibt B ein Fantasie-Geschenk und spielt das Geschenk pantomimisch. B dankt und muss das Geschenk erraten. Dann gibt B ein Geschenk an C usw.

Oh, vielen Dank für das Auto!

Herzlichen Glückwunsch zum Führerschein!

4.7
4.8

Emotionen

4

a Sehen Sie die Situationen auf den Fotos an. Wie fühlen Sie sich in dieser Situation?

glücklich sein / sich freuen • traurig/unglücklich sein • Angst haben • nervös sein

un-
Mit der Vorsilbe „un-" kann man einige Adjektive und Substantive verneinen:
glücklich ☺ – unglücklich ☹
das Glück ☺ – das Unglück ☹

In Situation 1 bin ich …

b Was passt zusammen?

1 ____ Ich bin nervös,
2 ____ Wenn ich ein Geschenk bekomme,
3 ____ Wenn ich Achterbahn fahre,
4 ____ Ich bin traurig,

A dann freue ich mich.
B wenn meine Freundin wegfährt.
C wenn ich eine Prüfung habe.
D habe ich Angst.

c Nebensatz mit *wenn*. Ergänzen Sie die Tabelle unten.

Hauptsatz			**wenn-Satz**		
Ich	bin	glücklich,	**wenn**	ich eine Prüfung	**bestehe**.
Ich	freue	mich,	**wenn**	meine Freundin	**anruft**.
Ich	ärgere	mich,	**wenn**	ich zu viel	lernen **muss**.

wenn-Satz			**Hauptsatz**		
Wenn	ich eine Prüfung	**bestehe**,	(dann)	**bin**	ich ________.
Wenn	meine Freundin	________	(dann)	________	________.
______	________	________	(dann)	________	________.

5

In welchen anderen Situationen ärgern Sie sich, freuen Sie sich, sind Sie nervös oder haben Sie Angst? Sprechen Sie in Kleingruppen.

Ich bin (un)glücklich/nervös/traurig/sauer/böse, wenn …
Wenn …, freue ich mich.
Ich finde es schön/schade, wenn …
Für mich ist es schön/traurig/aufregend, wenn …
Wenn …, habe ich Angst.

Norddeutsche Feste

Ich möchte gern zum Hurricane-Festival, weil ich …

6 a Lesen Sie die Texte. Was für Feste sind das? Welches Fest möchten Sie besuchen? Warum?

Theaterfest • Historisches Stadtfest • Musikfest • Sportfest • Kinderfest

Home | Events | Galerie | Presse | Kontakt

Die weltweit bekannte **Kieler Woche** findet Ende Juni statt. Eigentlich ist es eine Segelregatta, aber das internationale Programm ist nicht nur für Sportfans interessant: Bands geben Konzerte und auf dem bunten Markt kann man Spezialitäten aus der ganzen Welt kaufen. Der schöne Hafen von Kiel ist Treffpunkt für Segelschiffe aus der ganzen Welt. ____________

Das **Hurricane-Festival** in Scheeßel (Niedersachsen) ist ein Festival mit Konzerten und dauert drei Tage. Hier spielen Bands wie „Die Ärzte", aber auch Newcomer. Pop, Rock und Alternative – die verschiedenen Musikstile wechseln sich ab. Für die norddeutschen Musikfans ist das Festival ein „Muss"! ____________

b Björn war in Kiel und hat Fotos auf seine Facebook-Seite gestellt. Lesen Sie seine Kommentare und ordnen Sie die Fotos zu.

A B C D

1. Das große Feuerwerk am Abend war super! (Foto ___)
2. Auch auf den kleinen Schiffen ist viel los! (Foto ___)
3. Ich habe auch den alten Hafen und das tolle Konzert besucht! (Foto ___)
4. Darf ich vorstellen? – Das junge Team vom Segelschiff „Windjammer". (Foto ___)

4.9

c Markieren Sie die Adjektive in 6a und b. Ergänzen Sie die fehlenden Formen in der Tabelle.

Adjektive nach dem bestimmten Artikel

	maskulin	**neutrum**	**feminin**	**Plural**
Nominativ	der schön*e* Hafen	das groß__ Feuerwerk	die bekannt__ Kieler Woche	die verschieden___ Musikstile
Akkusativ	den alt___ Hafen	das toll__ Konzert	die bekannt**e** Kieler Woche	die norddeutsch___ Musikfans
Dativ	auf dem bunt___ Markt	auf dem toll**en** Konzert	aus der ganz___ Welt	auf den klein___ Schiffe**n**

7

a Schwedenfest in Wismar. Lesen Sie den Text und markieren Sie die bestimmten Artikel und Substantive.

Mit dem Schwedenfest erinnert Wismar jeden August an die Geschichte mit Schweden. Wie hat man vor 300 Jahren gelebt? Man kann den „Schwedenweg" gehen und an den Veranstaltungen teilnehmen.

b Der Text in 7a klingt sehr neutral. Schreiben Sie den Text neu und verwenden Sie dazu die Adjektive. Achten Sie auf die Endungen.

gemeinsam • zahlreich • alt • beliebt

Mit dem beliebten Schwedenfest ...

c Ein Fest in Ihrer Stadt oder in Ihrem Kursort. Arbeiten Sie in Kleingruppen und schreiben Sie einen kurzen Text über das Fest.

Wie heißt das Fest? Wann ist es? Was feiert man? Was kann man da machen?

8

1.40–41

a So ein Glück! So ein Pech! Björn auf der Kieler Woche. Hören Sie die Gespräche A und B. Welche Ausdrücke hören Sie in welchem Dialog?

Das ist ja toll! ____ Das tut mir leid. ____ So ein Pech! ____ Das macht doch nichts. _A_

Wie schön! ____ Da freue ich mich total. ____ Da hast du aber Glück gehabt! ____

b Was ist hier passiert? Arbeiten Sie zu zweit. Wählen Sie eine Situation und schreiben Sie einen Dialog wie in 8a. Verwenden Sie die Ausdrücke aus a. Spielen Sie Ihre Szene vor.

auf einer Party sein • Glas auf den Teppich fallen • alles sauber machen • peinlich sein

2 Tage Städtereise nach Paris!

ein Los ziehen • öffnen • Glück haben • eine Reise gewinnen

1.42

Gut gesagt: Wie unangenehm!

Oh, ist das peinlich!
Das ist mir so unangenehm!
Wie kann ich das wiedergutmachen?
Das tut mir schrecklich leid!

9

1.43

a Emotionales Sprechen. Wie klingt das? Hören Sie und notieren Sie: fröhlich, traurig, gestresst, ärgerlich.

1. ________ 2. ________ 3. ________ 4. ________

1.44

b Hören Sie. Erkennen Sie die Emotion? Notieren Sie die Nummer.

fröhlich ___ traurig ___ ärgerlich ___ gestresst ___

1.45

c Hören Sie die Sätze und sprechen Sie nach.

1. Wie toll! 2. Na und? 3. Wie schön! 4. Wie schade! 5. Super!

d Wählen Sie eine Emotion und sprechen Sie einen Satz. Die anderen raten die Emotion.

Ende Anfang

10 a **Hören Sie das Lied *Ende Anfang* von der Band *Goya Royal*. Wie klingt das Lied für Sie? Was gefällt Ihnen?**

1.46

romantisch • traurig • poetisch • melancholisch • originell • klassisch

Ich finde, das Lied klingt poetisch.

Das Lied gefällt mir gut, es klingt …

Ich mag die Melodie, aber …

Ich verstehe viel, das gefällt mir!

b **Hören Sie noch einmal. Ergänzen Sie die fehlenden Wörter.**

1.46

Ich bin zu jung.	Ich bin domestiziert,
Ich bin zu *alt*.	________ erlebt,
Mir ist zu heiß	nichts ausprobiert.
oder viel zu ________.	Ich komme ________ ans Ziel.
Das Hemd ist zu groß.	Ich bin schon längst ________.
Die Schuhe zu ________.	Du bist zu weit weg
Ja, ich war schon dort	oder viel zu ________.
und doch nie ________.	Am Ende noch …
Ich bin zu wild.	Am Anfang schon …

c **Markieren Sie die Gegensätze im Lied.**

d **Was denken Sie: Wovon erzählt das Lied? Diskutieren Sie in Kleingruppen. Erzählen Sie dann im Kurs.**

Kindheit • (un)glückliche Liebe • Erfahrungen • Freundschaft • Probleme mit anderen Menschen • Sehnsucht • Erinnerungen • …

Ich glaube, das Lied erzählt von Erinnerungen. Jemand erinnert sich an Gefühle und Situationen.

Nein, das glaube ich nicht. Das Lied handelt von …

e **Schreiben Sie das Lied in der Kleingruppe weiter. Welche Gegensätze passen noch?**

Das ist zu schwer.
Das ist zu leicht.

f **Gehen Sie im Kurs herum und vergleichen Sie Ihre Varianten.**

Erfahrungen im fremden Land

11 a **Carmen und Sergej schreiben Blogs über ihr Leben im Ausland. Arbeiten Sie zu viert. Lesen Sie jeweils zu zweit einen Blogeintrag und notieren Sie: Wo ist die Person? Was macht sie dort? Was gefällt ihr (nicht)?**

Carmen aus Heidelberg

Ich wollte schon lange ins Ausland und jetzt bin ich seit zwei Monaten in Argentinien. Ich arbeite in einer Sprachenschule und unterrichte Deutsch. Die Arbeit macht viel Spaß, im Kurs ist es oft lustig und wir sprechen viel.
Die Teilnehmer in meinem Kurs sind fast immer pünktlich, das ist mir schon wichtig. Aber wenn ich Freunde treffe, dann ist eigentlich niemand pünktlich ... außer mir! 5
Dann sitze ich oft lange allein in einem Restaurant. Ich nehme immer ein Buch mit, dann ist mir nicht so langweilig ;-).
Überhaupt treffen sich meine Freunde ziemlich spät, um 22 Uhr oder sogar später. Meine Freunde erzählen viel und fragen auch nach Deutschland und Europa. Mein Spanisch ist schon viel besser geworden, das ist super! 10
Musik ist hier sehr wichtig, aber zum Glück nicht nur Tango-Musik. Ich habe gedacht, alle hören immer Tango und können super Tango tanzen, aber das stimmt nicht. Alle gehen gern in die Disco und tanzen auch ganz „normal". Da kann ich zum Glück auch mitmachen ☺!

Sergej aus Moskau

Bei meiner Ankunft in Deutschland vor einem Jahr war ich ziemlich überrascht, wie einfach bestimmte Sachen sind, z. B. die Anmeldung an der Uni oder im Wohnheim. Die Mitarbeiter waren freundlich und hilfsbereit und nirgends musste ich lange warten.
Man sagt ja, die Deutschen sind so akkurat und ordentlich. Das stimmt sicher nicht 5 immer, wenn ich da an die Zimmer von einigen deutschen Studenten denke ...! Aber im Verkehr und auf den Straßen ist es eigentlich schon richtig. Wenn der Bus um 9.12 Uhr abfahren soll, dann fährt er (meistens) auch um 9.12 Uhr ab. Das macht das Leben weniger stressig – aber dafür fehlt auch ein Grund, wenn man zu spät kommt ;-)
Das Leben hier gefällt mir sehr gut. Die Studenten sind interessiert und nett und ich habe schon neue 10 Freunde gefunden. Sie haben mir schon vieles hier gezeigt und finden es nicht schlimm, wenn ich etwas nicht verstehe.
Manchmal bin ich auf Partys eingeladen und jeder soll dann etwas zu essen und zu trinken mitbringen. Das kann ich nicht verstehen! Wenn ich Freunde einlade, dann möchte ich ihnen etwas anbieten – sie sind doch meine Gäste! Aber eine Sache daran ist gut: Eine Party machen ist hier billiger, und als 15 Studenten haben wir natürlich alle nicht viel Geld.

b **Notieren Sie passende Überschriften für die Absätze zu „Ihrem" Blog auf einen Zettel und tauschen Sie die Überschriften mit der anderen Gruppe.**

Zeile 1–4: Mein Sprachkurs in Argentinien

c **Lesen Sie den anderen Blogeintrag mit den Überschriften von der anderen Gruppe.**

d **Sprechen Sie zu viert. Welchen Blogeintrag haben Sie leichter verstanden? Den ohne Überschriften oder den mit Überschriften?**

> **Texte strukturieren**
> Lesen Sie Texte in Abschnitten und finden Sie passende Überschriften oder fassen Sie den Inhalt kurz zusammen.

12 **Ihre Erfahrungen. Schreiben Sie einen eigenen kurzen Blogeintrag über einen Aufenthalt im Ausland oder an einem anderen Ort. Verwenden Sie die drei Überschriften.**

Die Überraschung   Nicht so toll!   Super!

Der Film

13 a Post für mich? Auf welche Post wartet man ungeduldig? Warum? Sammeln Sie.

Brief von einem Freund / einer Freundin *Reiseunterlagen*

4.7

b Sehen Sie Szene 7. Welche Post bekommt Bea? Warum freut sie sich?

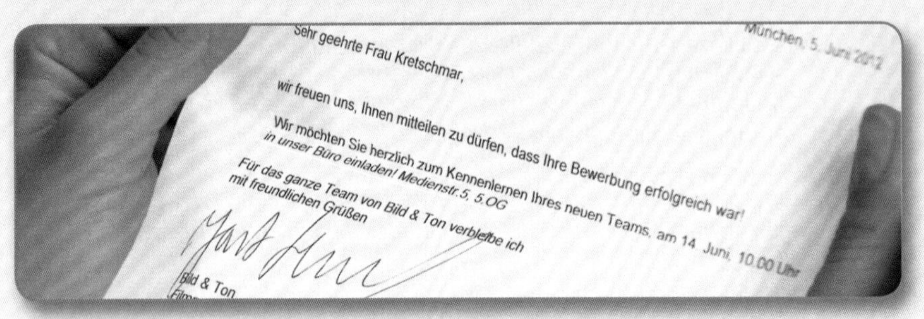

München, 5. Juni 2012

Sehr geehrte Frau Kretschmar,

wir freuen uns, Ihnen mitteilen zu dürfen, dass Ihre Bewerbung erfolgreich war!

Wir möchten Sie herzlich zum Kennenlernen Ihres neuen Teams, am 14. Juni, 10.00 Uhr in unser Büro einladen! Medienstr. 5, 5.OG

Für das ganze Team von Bild & Ton verbleibe ich mit freundlichen Grüßen

Bild & Ton

c Wen ruft Bea an? Was erzählt Bea? Schreiben Sie zu zweit einen Dialog und spielen Sie das Telefongespräch.

14 a Überraschung. Sehen Sie Szene 8 ohne Ton. Was sagen die Kollegen, was sagt Bea? Arbeiten Sie zu viert. Jeder wählt eine Person. Machen Sie Notizen.

4.8

b Sehen Sie noch einmal die Szene ohne Ton und sprechen Sie mit Ihrer Gruppe für die Personen im Film. Sehen Sie dann die Szene mit Ton und vergleichen Sie mit Ihrem Gespräch.

4.8

15 a Ein Wochenende in Kiel. Sehen Sie Szene 9. Welche Aussagen sind richtig?

4.9

	richtig	falsch
1. Felix bekommt einen Anruf von seinem Freund Jens.	☐	☐
2. Jens will mit Freunden zur Kieler Woche fahren.	☐	☐
3. Die Freunde fahren am Freitag los und kommen am Sonntag wieder.	☐	☐
4. Es ist noch ein Platz im Auto frei.	☐	☐
5. Felix will unbedingt mitfahren.	☐	☐

b Sehen Sie die Fotos von Kiel und der Kieler Woche an. Schreiben Sie zu jedem Foto ein bis zwei Sätze. Nutzen Sie auch die Informationen aus Aufgabe 6.

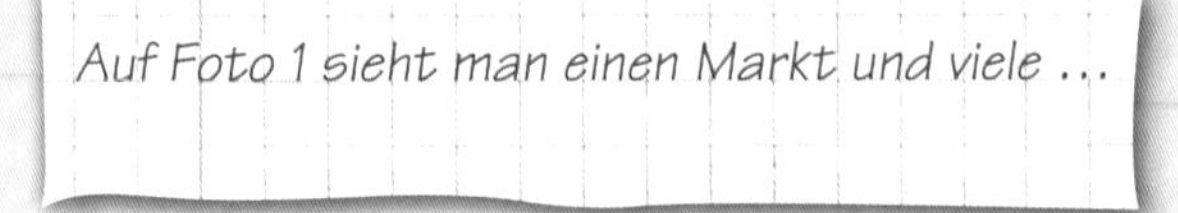

c Sie fahren für ein Wochenende nach Kiel. Sie möchten einen Freund / eine Freundin mitnehmen. Schreiben Sie ihm/ihr eine E-Mail.

Kurz und klar

sich bedanken

Danke! Danke schön! Danke sehr! Herzlichen Dank!
Herzlichen Dank für die Glückwünsche und Geschenke zu unserer Hochzeit / zu meinem Geburtstag / zu ...
Tausend Dank für die Einladung zu ...

Glückwünsche aussprechen

Wir wünschen Dir/Euch alles Liebe/Gute zu Eurer Hochzeit / zu Deinem Geburtstag / zu ...
Wir wünschen Dir/Euch eine sehr schöne Feier!
Wir gratulieren Dir/Euch sehr herzlich und wünschen Dir/Euch alles Liebe zu ...
(Herzlichen) Glückwunsch! / Alles Gute! / Viel Glück zur Hochzeit! / zum Geburtstag! / zu ...
Für die Zukunft wünschen wir / wünsche ich Dir/Euch alles Glück der Welt.
Wir wünschen Dir/Euch, dass es Dir/Euch immer gut geht und dass Du glücklich bist. / Ihr glücklich seid.

über Emotionen sprechen

Ich bin (un)glücklich/nervös/traurig/sauer, wenn ...
Für mich ist es schön/traurig/aufregend, wenn ...
Ich finde es schön/schade, wenn ...

Wenn ..., freue ich mich.
Wenn ..., habe ich Angst.

Freude ausdrücken

Das ist ja toll! Wie schön!
Da freue ich mich (total).
Da hast du aber Glück gehabt.

Bedauern ausdrücken

Das tut mir leid.
So ein Pech!
Das macht doch nichts.

Grammatik

Nebensatz mit *wenn*

Hauptsatz			Nebensatz mit *wenn*		
Ich	bin	glücklich,	**wenn**	ich eine Prüfung	**bestehe**.
Ich	freue	mich,	**wenn**	meine Freundin	**anruft**.
Ich	ärgere	mich,	**wenn**	ich zu viel	lernen **muss**.
	Verb				Satzende: Verb

Nebensatz mit *wenn*				Hauptsatz	
Wenn	das Wetter immer schlecht	**ist**,	(dann)	**bin**	ich unglücklich.
Wenn	meine Freundin	**anruft**,	(dann)	**freue**	ich mich.
Wenn	ich zu viel	arbeiten **muss**,	(dann)	**ärgere**	ich mich.

Adjektive nach dem bestimmten Artikel

	maskulin	neutrum	feminin	Plural
Nominativ	der schön**e** Hafen	das groß**e** Feuerwerk	die bekannt**e** Kieler Woche	die verschieden**en** Musikstile
Akkusativ	den alt**en** Hafen	das toll**e** Konzert	die bekannt**e** Kieler Woche	die norddeutsch**en** Musikfans
Dativ	auf dem bunt**en** Markt	auf dem toll**en** Konzert	aus der ganz**en** Welt	auf den klein**en** Schiffen

Lernziele

- ein Gespräch am Fahrkartenschalter führen
- über Freizeitangebote sprechen
- Texten Informationen entnehmen
- Personen vorstellen
- Berufswünsche äußern
- einen Traumberuf vorstellen
- ein Telefongespräch vorbereiten, telefonieren
- einen Text zum Thema Arbeitswelt verstehen

Grammatik

- Adjektive nach dem unbestimmten Artikel
- Präpositionen: *ohne* + Akkusativ, *mit* + Dativ
- das Verb *werden*

1 Ilse Schmidt, Lehrerin

Was machen Sie beruflich?

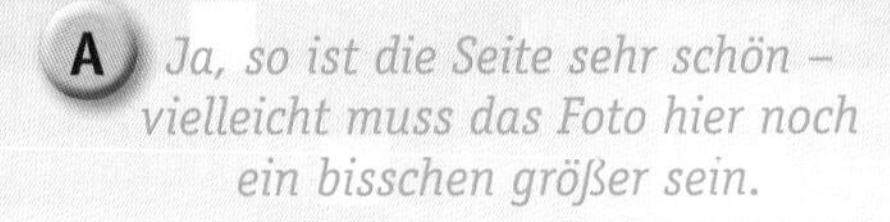

B *Wo ist denn der Hammer?*

2 Uta Dengner, Anwältin

C *Bis zum nächsten Mal macht ihr bitte die Aufgaben 5 bis 7 im Arbeitsbuch.*

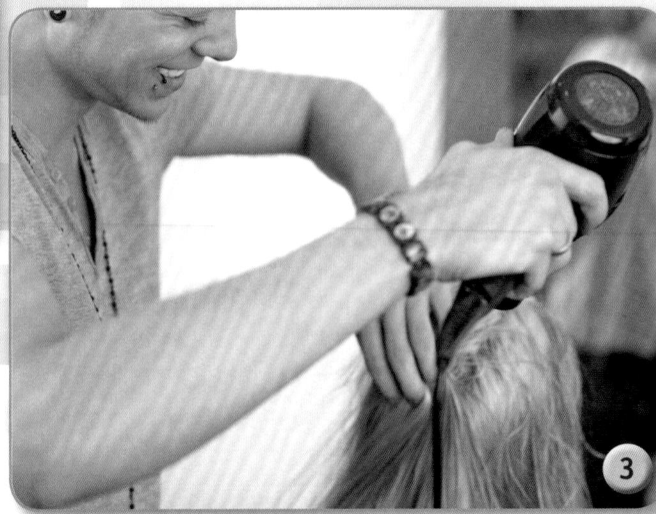

3 Florian Raasch, Friseur

D *Sie haben also Ärger mit Ihrem Vermieter? Erzählen Sie mal, seit wann haben Sie denn das Problem?*

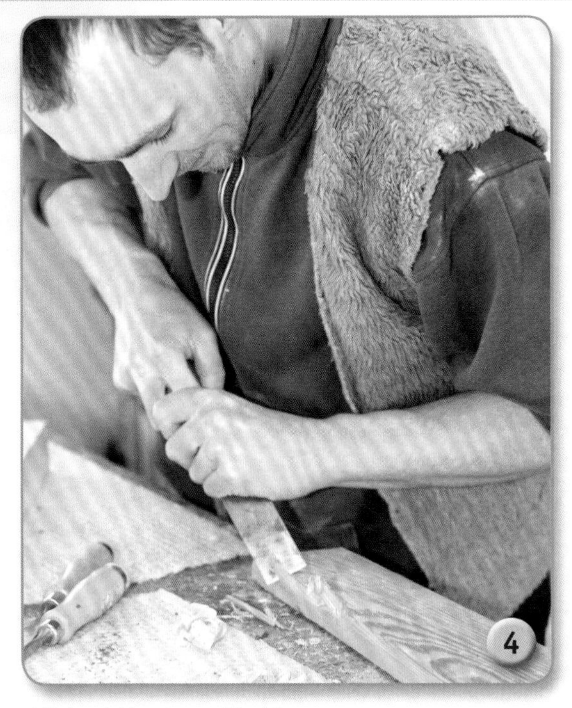

Michael Karstner, Tischler

E Also, waschen, schneiden und föhnen. Möchten Sie auch eine Tönung?

Andreas Pfeiler, Grafiker

1

a **Berufe. Sehen Sie die Fotos an. Welcher Satz passt zu welchem Beruf? Ordnen Sie zu.**

1.47

b **Hören Sie. Welcher Beruf ist das? Notieren Sie den Beruf und typische Tätigkeiten. Ergänzen Sie weitere Dinge. Benutzen Sie das Wörterbuch.**

Beruf	typische Tätigkeiten	typische Dinge
	föhnen, …	*die Schere, der Kamm, …*

c **Arbeiten Sie zu viert. Verteilen Sie in Ihrer Gruppe die anderen Berufe aus 1a. Jeder macht eine weitere Tabelle wie in 1b.**

d **Und Ihr Beruf (oder Traumberuf)? Notieren Sie typische Tätigkeiten und Dinge. Vergleichen Sie im Kurs.**

2

Sammeln Sie im Kurs weitere Berufe an der Tafel. Wählen Sie einen Beruf und machen Sie eine typische Handbewegung. Die anderen raten den Beruf.

Auf Geschäftsreise

3

1.48

a Hören Sie den Dialog. Wo sind David und Andreas? Was wollen sie machen?

David und Andreas sind …

1.48

b Hören Sie den Dialog noch einmal und ergänzen Sie die SMS.

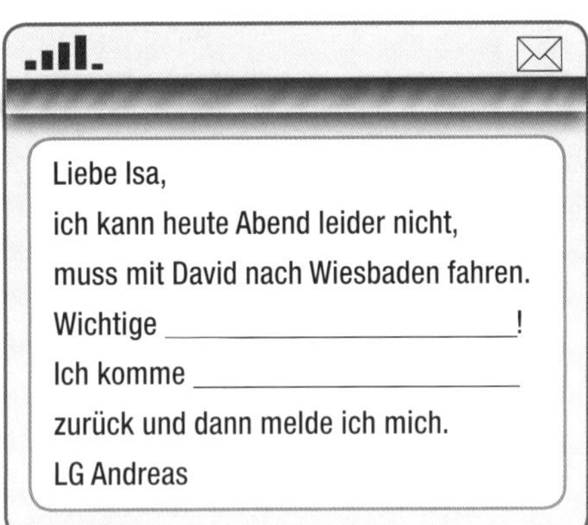

Liebe Isa,
ich kann heute Abend leider nicht,
muss mit David nach Wiesbaden fahren.
Wichtige ____________________!
Ich komme ____________________
zurück und dann melde ich mich.
LG Andreas

c Warum hat Andreas Pfeiler die Fahrkarten nicht im Internet gekauft?

1.49

Wortschatz AB

d Fahrkarten kaufen. Hören Sie das Gespräch am Schalter. Richtig oder falsch? Kreuzen Sie an und korrigieren Sie die falschen Sätze.

	r	f	
1. David und Andreas wollen Fahrkarten für die Hin- und Rückfahrt kaufen.	☐	☐	________
2. Sie müssen heute in Mainz umsteigen.	☐	☐	________
3. In Wiesbaden kommen sie um kurz nach halb zwölf an.	☐	☐	________
4. David und Andreas reservieren Plätze im Abteil.	☐	☐	________
5. Sie besitzen keine Bahncard.	☐	☐	________

5.10

4

a Mit dem Zug nach … Wählen Sie mit Ihrem Partner / Ihrer Partnerin zwei Orte in Deutschland, Österreich oder der Schweiz. Recherchieren Sie eine Zugverbindung und den Preis.

b Am Fahrkartenschalter. Schreiben Sie einen Dialog. Verwenden Sie die Informationen aus 4a. Spielen Sie Ihren Dialog im Kurs vor.

Fahrgast
Eine Fahrkarte nach …, bitte. • Ich brauche eine Auskunft. • Wann fährt der nächste Zug nach …? • Einfach. / Hin und zurück. • Muss ich umsteigen? • Wann komme ich in … an? • Was kostet eine Fahrkarte nach …? • Ich möchte einen Platz reservieren. • Im Abteil/Großraumwagen, bitte.

Bahn-Mitarbeiter
Wann möchten Sie fahren? • Der nächste Zug fährt um … von Gleis … • Einfach oder hin und zurück? • Sie müssen in … umsteigen. • Der Zug fährt direkt nach … • Möchten Sie erster oder zweiter Klasse fahren? • Möchten Sie einen Platz reservieren? • Wo möchten Sie sitzen? Abteil oder Großraumwagen? Gang oder Fenster? • Haben Sie eine Bahncard?

Das Abend-Programm

5 a **Der Abend in Wiesbaden. Lesen Sie die Anzeigen auf der Stadt-Homepage. Was für Angebote gibt es? Ordnen Sie zu.**

Essen + Trinken: _____ Sport: _____ Theater: _____ Konzert: _____

www.wiesbaden.de

Roger Cicero
live mit einer tollen Show **am 09. März um 20 Uhr im Musikhaus**
Genießen Sie ein großartiges Musikereignis mit einem wunderbaren Sänger!
Tickets unter 0611–33885000 oder www.musikhaus.de **A**

Bella Vista
Sie suchen ein elegantes Restaurant und eine entspannte Atmosphäre für einen schönen Abend? Dann sind Sie bei uns genau richtig.
Bella Vista am Luisenplatz 45
Reservierungen unter 0611–9994401 **B**

Wiesbaden
eine vielseitige und sehenswerte Stadt

Hier finden Sie interessante Informationen über unsere schöne Stadt.

Fit plus – ein modernes Studio mit günstigen Preisen!
Machen Sie sich **fit für den Frühling**. Professionelle Trainer erwarten Sie!
Nerostraße 17a • 0611–8931389 **C**

Ein bekannter Klassiker mit einem aktuellen Thema!
Friedrich Dürrenmatt: „Der Besuch der alten Dame"
Täglich 20 Uhr, Tickets 10 Euro, Ermäßigung für Senioren
Theater Kulturpur • 0611–30020129 **D**

1.50 b **Hören Sie den Dialog. Was möchte David machen, was Andreas? Wofür entscheiden sich die zwei? Notieren und berichten Sie.**

David	Andreas
Theater, …	

c **Adjektivdeklination. Lesen Sie die Texte in Aufgabe 5a noch einmal und ergänzen Sie die Endungen.**

Adjektive nach dem unbestimmten Artikel

	maskulin	**neutrum**	**feminin**	**Plural**
Nom.	ein bekannt*er* Klassiker	ein modern___ Studio	eine vielseitig___ Stadt	professionell___ Trainer
Akk.	einen schön___ Abend	ein elegant___ Restaurant	eine entspannt___ Atmosphäre	interessant___ Informationen
Dat.	einem wunderbar___ Sänger	einem aktuell___ Thema	einer toll___ Show	günstig___ Preisen

Adjektiv-Endungen
Die Adjektiv-Endung ***-en*** ist nach dem bestimmten und unbestimmten Artikel häufig.

6 **Was gibt es an Ihrem Kursort? Fragen und antworten Sie.**

Ich suche … • Kannst du mir … empfehlen? • Gibt es hier …? • Kennst du …?

gut • interessant • schön • groß • gemütlich • toll • bekannt • modern • fantastisch • elegant • hübsch • verrückt • …

das Restaurant • das Café • das Konzert • das Museum • das Kino • das Theater • die Kneipe • der Biergarten • der Park • die Ausstellung • die Sehenswürdigkeit • …

Kannst du mir eine interessante Ausstellung empfehlen?

Ja, im Kunstmuseum …

Der Traumberuf?

7 **a** **Arbeiten Sie zu zweit. Jeder liest einen Text. Markieren Sie im Text Informationen zu Name, Ausbildung und beruflichen Tätigkeiten. Schreiben Sie die Informationen in die Tabelle.**

Name	Ausbildung	berufliche Tätigkeiten	Grund für den Berufswechsel
	Ausbildung zur Industriekauffrau		

Vom Büro in die Möbelwerkstatt

Nach ihrer Ausbildung zur Industriekauffrau hat Christina Bohnsack 17 Jahre bei einem Elektrokonzern gearbeitet – dann wurde sie plötzlich arbeitslos. Was konnte sie ohne ihre Arbeit tun?

Aber dann hatte sie eine Idee: Alte Möbel neu gestalten.

Sie hat ein Praktikum in einer Tischlerei gemacht und dann die Firma Siesen.de gegründet.

Jetzt macht sie aus antiken Möbeln liebevolle Schmuckstücke für große und kleine Leute. Die Arbeit in der kleinen Werkstatt gefällt ihr viel besser als die Arbeit im Büro. Hier kann sie kreativ sein. Und wenn ihre kleine Firma nicht genug Geld bringt? „Ich werde jetzt 40 Jahre alt. Zurück in meinen alten Job als Industriekauffrau kann ich immer. Aber dann habe ich wenigstens meinen Traum gelebt. Das kann mir keiner mehr nehmen."

Vom Operationssaal auf die Autobahn

Markus Studer hat in Zürich Medizin studiert.

Am Universitätsspital Zürich und an der University of Alabama at Birmingham (Alabama, USA) hat er seine Ausbildung zum Herzchirurgen gemacht. Später ist er Oberarzt der Herzchirurgie am Universitätsspital Zürich und Leiter eines Herzzentrums geworden.

Nach 25 Jahren als erfolgreicher Herzchirurg hat Dr. Markus Studer den weißen Arztkittel gegen einen blauen Overall getauscht: Er ist Fernfahrer geworden und hat sich einen Traum erfüllt. Er verdient in seinem neuen Beruf wenig, aber er hat seine Entscheidung nie bereut. Er liebt die Freiheit auf der Straße und kommt mit seinem Lastwagen an sehr viele Orte. „Für mich war immer schon klar, dass ich auf dem Höhepunkt meiner Karriere aufhören möchte und etwas anderes mache."

b **Stellen Sie Ihrem Partner / Ihrer Partnerin „Ihre" Person vor. Er/Sie hört zu und ergänzt die Tabelle.**

Präpositionen:
***ohne* + Akkusativ, *mit* + Dativ**

Was konnte sie **ohne** ihr**e** Arbeit tun?
Mit ihr**er** Idee will sie Geld verdienen.

c **Sprechen Sie zu zweit über die beiden Personen. Was sind Parallelen, was sind Gegensätze?**

Christina Bohnsack wurde arbeitslos.
Aber Markus Studer hat seinen Beruf als Herzchirurg …

8

a Das Verb *werden*. Unterstreichen Sie die Formen von *werden* in den Texten von Aufgabe 7a und ergänzen Sie die Sätze im Kasten. Vergleichen Sie mit Ihrer Sprache.

***werden* + Substantiv, Adjektiv, ...**

Präsens		**Ihre Sprache**
werden + Substantiv:	Er wird Fernfahrer.	___
werden + Adjektiv:	Sie wird arbeitslos.	___
werden + Altersangabe:	Ich ___ 40 Jahre alt.	___
Präteritum	Sie ___ arbeitslos.	
Perfekt	Er **ist** Oberarzt ___.	

b Schreiben Sie zwei Sätze im Präsens, zwei im Präteritum und zwei im Perfekt.

ich du er/es/sie wir ihr sie Sie	werden	23 Jahre alt krank bekannt Arzt/Ärztin Fernfahrer/-in gesund Schauspieler/in

werden

ich werd**e**	wir werd**en**
du wir**st**	ihr werd**et**
er/es/sie wird	sie/Sie werd**en**

Sie wird bekannt.
Er ist 23 Jahre alt geworden.

c Und Sie? Welche Berufswünsche hatten und haben Sie? Spielen Sie. Würfeln Sie zweimal. Sie würfeln 1 und 5 → 15. Sie würfeln 5 und 1 → 51. Usw.

Mit 15 wollte ich ...

Mit 21 wurde ich ...

Mit 51 will ich ...

9

a Was ist Ihr Traumberuf? Und warum? Recherchieren Sie Informationen zu den vier folgenden Aspekten. Schreiben Sie einen Text über Ihren Traumberuf.

Ausbildung | Arbeitsort | Tätigkeiten | Arbeitszeiten

Ich wollte schon immer Tiertrainer werden. Ich finde den Beruf toll, weil ...

5.11

b Hängen Sie die Texte im Kursraum auf. Wählen Sie einen interessanten Text. Wer hat ihn geschrieben? Sprechen Sie mit dem Autor / der Autorin.

10

1.51

a *m* oder *n*? Was hören Sie am Wortende? Stellen Sie sich hintereinander auf. Sie hören *m*: Machen Sie einen Schritt nach vorn. Sie hören *n*: Machen Sie einen Schritt nach hinten.

1.52

b Hören Sie und ergänzen Sie. Sprechen Sie dann die Sätze.

1. I___ ihre___ Haus macht Frau Bohnsack aus alte___ Möbel___ neues Design mit viele___ Farbe___.
2. Mit seine___ neue___ Lkw fährt Markus Studer über die Straße___.
3. Seine___ schöne___ Lkw möchte er nicht mehr gegen de___ alte___ Arztkittel tausche___.

Telefonieren am Arbeitsplatz

11 a Sie müssen ein wichtiges Telefongespräch führen. Was hilft beim Telefonieren? Sammeln Sie Tipps im Kurs.

Fragen vorher notieren

b Lesen Sie den Text. Markieren Sie die Tipps im Text und sammeln Sie im Kurs. Welche Tipps sind neu für Sie?

1.53

• Erfolgreich telefonieren •

Sie kennen das sicher: Sie müssen telefonieren und sind nervös? Bereiten Sie sich gut vor, dann verläuft das Gespräch besser. Zuerst einmal ist es wichtig, dass Sie in Ruhe telefonieren können. Schalten Sie also am besten das Radio aus und machen Sie Türen und Fenster zu. So können Sie sich besser konzentrieren. Schreiben Sie vorher Ihre Fragen und Themen auf ein Blatt Papier. So vergessen Sie nichts. Gut ist es auch, wenn Sie Stift und Papier bereitlegen. Dann können Sie wichtige Informationen sofort notieren und müssen nicht erst hektisch einen Stift suchen. Sprechen Sie am Telefon klar und deutlich. Und sehr wichtig: Lächeln Sie! Man kann ein Lächeln „hören"!

Gut gesagt: Am Telefon

In Deutschland, Österreich und der Schweiz meldet man sich auch zu Hause am Telefon meistens mit Namen.

12 a Hören Sie die Gespräche. Was machen die Personen am Telefon gut / nicht so gut? Notieren Sie und vergleichen Sie.

1.54–55

Gespräch 1:
– sagt seinen Namen nicht ⊖

Auf Deutsch telefonieren

Trainieren Sie Telefonieren auf Deutsch so oft wie möglich:
Notieren Sie Fragen und rufen Sie einen Kurspartner / eine Kurspartnerin an.
Sprechen Sie zusammen auf Deutsch.

b Arbeiten Sie zu zweit. Wählen Sie eine Situation und schreiben Sie einen Dialog. Setzen Sie sich Rücken an Rücken und spielen Sie Ihren Dialog.

Anrufer A

Sie rufen bei der Firma „Media1000" an und möchten Herrn Jeschke sprechen.
Er ist nicht da. Sie möchten, dass Herr Jeschke Sie zurückruft.

Firma A

Herr Jeschke ist bei einem Kunden. Kann der Anrufer / die Anruferin noch einmal anrufen?
Oder möchte er/sie eine Nachricht hinterlassen? Fragen Sie.

Anrufer B

Sie rufen bei der Firma „Auto-Müller" an und möchten Frau Weiß sprechen. Aber sie ist nicht da. Sie möchten die Durchwahl von Frau Weiß und sie später direkt anrufen.

Firma B

Frau Weiß ist nicht an ihrem Schreibtisch. Können Sie etwas ausrichten? Fragen Sie.

Anrufer

Kann ich bitte mit Herrn/Frau ... sprechen? / Können Sie mich bitte mit Herrn/Frau ... verbinden? • Kann ich eine Nachricht für Herrn/ Frau ... hinterlassen? • Können Sie mir bitte die Durchwahl geben?

Firma

Herr/Frau ... ist gerade nicht am Platz. Herr/Frau ... ist außer Haus. • Kann ich etwas ausrichten? / Möchten Sie eine Nachricht hinterlassen? • Können Sie später noch einmal anrufen? • Kann Herr/Frau ... Sie zurückrufen? • Die Durchwahl ist ...

Wie wir morgen arbeiten

13 a **Die Arbeitswelt von morgen: Was verändert sich? Sammeln Sie Ideen im Kurs.**

b **Lesen Sie den Text und ordnen Sie die Überschriften zu.**

Arbeit und Familie • Wann habe ich wirklich frei? • Wer ist hier der Chef? • Jobs für kurze Zeit • Arbeiten im Alter • Gut informierte Mitarbeiter

Die Arbeitswelt von morgen

Die Arbeitswelt verändert sich schnell – und dadurch wird das Arbeitsleben für viele Menschen immer komplizierter. Alte Berufe verschwinden und neue kommen, Wissen wird schnell alt und neue Fähigkeiten werden wichtiger. Gestern hat man ein Leben lang bei einer Firma gearbeitet und heute muss man sich möglichst für mehrere Jobs qualifizieren.

A ____________________

Ein eigenes Büro gibt es nicht mehr. Schon heute arbeiten viele Leute mobil mit ihrem Laptop. So sind sie für die Firmen immer erreichbar, auch am Wochenende und im Urlaub. Arbeitstage von 9 bis 17 Uhr gibt es immer seltener. Immer mehr Leute bestimmen ihre Arbeits- und Freizeit selbst. Da ist es wichtig, dass man die richtige Balance zwischen Arbeit und Freizeit findet.

B ____________________

Teamarbeit und Projektarbeit nehmen zu. Besonders wichtig ist auch der Austausch von Wissen. Die Kollegen in Hamburg müssen wissen, was die Kollegen in Los Angeles machen. Ohne Kooperation und Vernetzung geht nichts mehr im Job. Dabei helfen die Netzwerke im Internet, Video- und Telefonkonferenzen. Natürlich braucht jeder eine gute Internetverbindung.

C ____________________

Starre Hierarchien sind unmodern. Wer betreut gerade ein Projekt? Das ist der Chef. Im nächsten Projekt hat diese Person dann vielleicht eine ganz andere Position. Wichtig ist, dass man gemeinsam zu einem guten Ergebnis kommt.

D ____________________

Firmen wollen mehr Flexibilität und machen oft nur Verträge für bestimmte Projekte. Lebenslange Arbeitsverhältnisse existieren fast nicht mehr. Damit gibt es aber auch weniger Sicherheit. Nicht jeder kommt damit gut zurecht, aber manche wollen gar keinen festen Job, weil sie ihren Arbeitsalltag selbst gestalten wollen. Sie machen sich freiwillig selbstständig.

E ____________________

Die Menschen werden älter, bleiben länger gesund und arbeiten länger. Arbeitsplätze und Arbeitszeiten müssen auch für ältere Menschen passen. Lebenslanges Lernen ist also besonders wichtig, wenn man im Job erfolgreich bleiben will.

F ____________________

Frauen haben eine gute Ausbildung, genauso wie die Männer. Aber die klassische Arbeitsteilung gibt es oft immer noch: Der Mann verdient das Geld, die Frau kümmert sich um die Familie. Familienfreundliche Arbeitszeiten und genug Betreuungsplätze für Kinder sind wichtig, wenn man das Wissen und Können von Frauen nutzen will.

c **Arbeiten Sie zu dritt. Jeder wählt zwei Abschnitte. Lesen Sie diese Abschnitte noch einmal und notieren Sie Schlüsselwörter und wichtige Informationen. Tauschen Sie sich mit Ihren Partnern/Partnerinnen über die Texte aus.**

Der Film

14 a Ich brauche schnell ein Ticket. Sehen Sie Szene 10 und machen Sie Notizen. Arbeiten Sie zu zweit, Partner A beantwortet die Fragen 1 bis 3, Partner B die Fragen 4 bis 6.

5.10

A
1. Wann muss Martin Berg nach Frankfurt fahren?
2. Was braucht Claudia Berg für die Buchung?
3. Wie oft muss Martin Berg umsteigen?

B
4. Warum hat Martin Berg keine Reiseunterlagen?
5. Wann muss er in Frankfurt sein?
6. Wann fährt er zurück?

b Ordnen Sie die Aussagen von Martin Berg. Sehen Sie Szene 10 noch einmal und kontrollieren Sie.

5.10

Claudia Berg
- So, zuerst geben wir das Ziel ein: Frankfurt am Main, oder?
- Es gibt auch Frankfurt an der Oder!
- Okay. Wann willst du fahren?
- Ankunft 16.00 Uhr ...
- Ähm, nee, alle ICEs fahren direkt nach Frankfurt. Dann kannst du den um 12.50 nehmen, dann bist du um fünf nach vier in Frankfurt.
- Gut, erster oder zweiter Klasse?
- Und eine Rückfahrt brauchst du auch, oder?
- Gut. Soll ich das jetzt buchen?
- Dann brauche ich noch deine Bahncard, bitte.

Martin Berg
- ___ Äh, ja, gerne.
- ___ Also, ich muss nach Frankfurt am Main.
- _1_ Oder was?
- ___ Das ist okay.
- ___ Ich habe eine Bahncard für die zweite Klasse.
- ___ Ich muss um vier da sein.
- ___ Ja, natürlich! Am nächsten Tag, gegen Mittag...
- ___ Muss ich umsteigen?

c Spielen Sie das Gespräch mit Ihrem Partner / Ihrer Partnerin.

15 a Beas Traumjob. Sehen Sie Szene 11. Wer macht das: Iris oder Bea? Ergänzen Sie die Namen.

5.11

1. __________ sucht einen Nebenjob.
2. __________ weiß nicht, ob sie in einem Verlag jobben will.
3. __________ hat drei Monate Praktikum gemacht.
4. Jetzt hat __________ eine Stelle beim Film bekommen.
5. Das ist der Traumberuf von __________.
6. __________ ist Schauspielerin.
7. __________ bekommt eine Wegbeschreibung.

b Möchten Sie beim Film arbeiten? Warum? Warum nicht? Sprechen Sie in Gruppen.

Kurz und klar

ein Gespräch am Fahrkartenschalter führen

Fahrgast
Eine Fahrkarte nach ..., bitte. • Ich brauche eine Auskunft • Wann fährt der nächste Zug nach ...? • Einfach. / Hin und zurück. • Muss ich umsteigen? • Wann komme ich in ... an? • Was kostet eine Fahrkarte nach ...? • Ich möchte einen Platz reservieren. – Im Abteil/Großraumwagen, bitte.

Bahn-Mitarbeiter
Wann möchten Sie fahren? • Der nächste Zug fährt um ... von Gleis ... • Einfach oder hin und zurück? • Sie müssen in ... umsteigen. • Der Zug fährt direkt nach ... • Möchten Sie erster oder zweiter Klasse fahren? • Möchten Sie einen Platz reservieren? • Wo möchten Sie sitzen? Abteil oder Großraumwagen? Gang oder Fenster? • Haben Sie eine Bahncard?

ein Telefongespräch führen

Anrufer
Kann ich bitte mit Herrn/Frau ... sprechen? /
Können Sie mich bitte mit Herrn/Frau ... verbinden?
Kann ich eine Nachricht für Herrn/Frau ... hinterlassen?
Können Sie mir bitte die Durchwahl geben?

Firma
Herr/Frau ... ist gerade nicht am Platz.
Herr/Frau ... ist außer Haus.
Möchten Sie eine Nachricht hinterlassen? /
Kann ich etwas ausrichten?
Können Sie später noch einmal anrufen?
Kann Herr/Frau ... Sie zurückrufen?
Die Durchwahl ist ...

Grammatik

Adjektive nach dem unbestimmten Artikel

	maskulin	neutrum	feminin	Plural
Nominativ	ein bekannt**er** Klassiker	ein modern**es** Studio	eine vielseitige Stadt	professionelle Trainer
Akkusativ	einen schön**en** Abend	ein elegant**es** Restaurant	eine entspannte Atmosphäre	interessante Informationen
Dativ	einem wunderbar**en** Sänger	einem aktuell**en** Thema	einer toll**en** Show	günstig**en** Preisen

Adjektive nach *kein/keine/* ... und *mein, dein, ...*:
Im Singular wie nach dem unbestimmten Artikel: Das ist ein/kein/sein schön**es** Restaurant.
Im Plural wie nach dem bestimmten Artikel: Das sind die/keine/unsere günstig**en** Preise.

Präpositionen: *ohne* + Akkusativ, *mit* + Dativ

Was konnte sie **ohne** ihr**e** Arbeit tun?
Mit ihr**er** Idee will sie Geld verdienen.

Das Verb *werden*

Präsens

ich	werd**e**	wir	werd**en**
du	wir**st**	ihr	werd**et**
er/es/sie	wir**d**	sie/Sie	werd**en**

Präteritum

ich	wurde	wir	wurd**en**
du	wurd**est**	ihr	wurd**et**
er/es/sie	wurde	sie/Sie	wurd**en**

Perfekt Er **ist** Fernfahrer **geworden**.

Verwendung
Er **wird** Fernfahrer. Sie **wird** arbeitslos. Sie **wird** 40 (Jahre alt).

Lernziele

Informationen erfragen
Unsicherheit und Nichtwissen ausdrücken
eine Wegbeschreibung verstehen und geben
einen Zeitungsartikel verstehen
die eigene Meinung sagen
über den Weg zur Arbeit sprechen
eine Statistik beschreiben
Informationen über eine Reise verstehen, über Reisen sprechen

Grammatik

Nebensatz: indirekte Fragesätze
lokale Präpositionen *an ... vorbei, durch, ...*

Ganz schön mobil

1 **a** **Was haben Tamara und Leon vor? Ordnen und nummerieren Sie die vier SMS.**

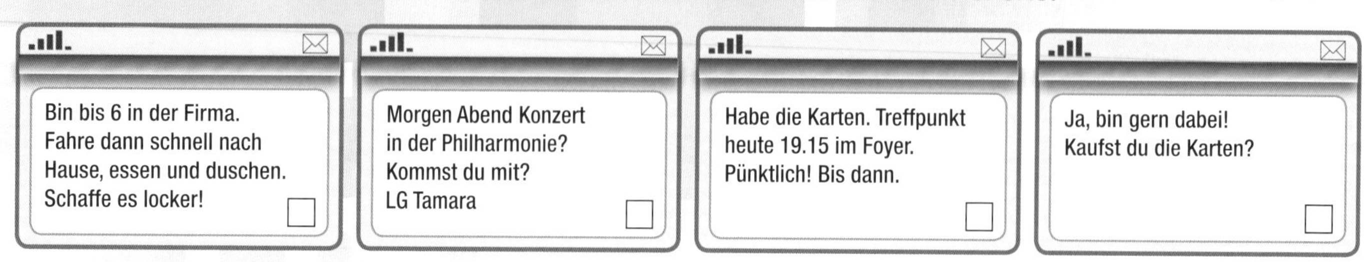

Wortschatz AB **b** **Sehen Sie die Fotos an. Was ist das Problem?**

1.56–61 **c** **Hören Sie Szene 1 bis 6. Welche Szene passt zu welchem Foto?**

2 Tamara und Leon im Foyer. Ordnen Sie die Antworten zu und hören Sie dann das Gespräch.

1.62

6.12

1. Da bist du ja endlich! War so viel Verkehr?
2. Was hast du gemacht?
3. Ach so! Und, war er schneller, der andere Weg?
4. Wo stehst du denn?
5. Ja, keine Verspätung bei der U-Bahn. Und die Straßenbahn ist auch gleich gekommen. Nur du nicht.

A Das Navi hat mir einen anderen Weg gesucht.
B Im Parkhaus. Und bei dir? Hat alles geklappt?
C Ja, schon. Aber dann hab' ich keinen Parkplatz gefunden.
D Komm. Jetzt ist es aber Zeit!
E Ja, total. Und am Isartor war plötzlich ein Stau.

3 Welche Verkehrsmittel benutzen Sie? Was sind die Vor- und Nachteile?

umsteigen müssen • im Stau / an der Ampel stehen • Verspätung haben • lange warten müssen • den Anschluss verpassen • eine Panne haben • billig/teuer sein • einen/keinen Fahrplan brauchen • zur Tankstelle müssen • eine Fahrkarte kaufen müssen • lesen können • voll sein • alle Plätze besetzt sein • keinen Führerschein brauchen • …

Ich fahre meistens mit dem Bus. Das ist praktisch, aber …

Unterwegs zu ...

4

a Sehen Sie das Bild an. Was ist hier los? Sprechen Sie mit einem Partner / einer Partnerin.

1.63

Gut Gesagt!
Sie sind ungeduldig:
Mensch, wann geht es weiter?
Ist das nervig!
Das dauert ja ewig!

b Was sagt die Frau am Telefon? Ergänzen Sie die Sätze.

Der Zug steht schon eine halbe Stunde. So ein Chaos! Alle sind genervt. Ein Mann fragt, warum der Zug steht. Eine Frau will wissen ...

Indirekte Fragesätze: W-Fragen

Mann:	„Warum **steht** der Zug?"
Der Mann fragt,	**warum** der Zug **steht**.
Frau:	„Wann **komme ich** in Berlin **an**?"
Die Frau will wissen,	**wann sie** in Berlin **ankommt**.

1. Eine Frau will wissen,	*wann sie in Berlin ankommt.*
2. Ein Mann mit zwei Kindern fragt,	
3. Das Kind fragt seinen Papa,	
4. Ein Herr fragt ärgerlich,	
5. Eine Dame weiß nicht,	

5

Auf Reisen. Spielen Sie zu dritt. Jeder schreibt drei W-Fragen auf verschiedene Zettel. Mischen Sie alle Zettel. Der Erste zieht einen Zettel und liest die Frage vor. Der Zweite stellt die Frage noch einmal, aber indirekt. Der Dritte antwortet und zieht dann den nächsten Zettel.

Wo ist der Bahnhof?

Können Sie mir sagen, wo der Bahnhof ist?

Das weiß ich leider nicht.

Können Sie mir sagen, ...?
Entschuldigung, wissen Sie, ...?
Ich bin nicht sicher, ...
Wissen Sie, ...?
Ich weiß nicht, ...

Höflich fragen
Indirekte Fragen sind höflicher als direkte Fragen.

Schnell zum Ziel

6 **a** **Lesen Sie die Werbung und die Nachrichten. Sind die Aussagen 1 bis 5 richtig oder falsch?**

Fahren ohne Stress? Geht das überhaupt? – Klar geht das, mit WoSama!

Wir nehmen Ihnen Ihre Sorgen ab. Sie wissen immer, wo Sie fahren müssen und wie der Verkehr auf Ihrer Strecke ist. Mit WoSama sind Sie immer topaktuell informiert: Ziel eingeben und stressfrei ankommen. Das erfolgreiche Navigationssystem gibt es jetzt auch als Verkehrsapp.

Einfache Bedienung! → → www.WoSama.com/apps ← ←

Hi Tom! Du hast doch WoSama. Ist das Navi wirklich so einfach? Du kennst mich ;-)) Ich muss übermorgen nach Flensburg. Danke, Marius.
23. Mai – 12:09

Ja, das passt schon. Willst du nicht lieber die App kaufen? Die bekommst du sofort.
23. Mai – 12:13

Tom, Hilfe, es funktioniert nicht. Kommst du zum Essen und hilfst mir dann? Ist das ein guter Plan ;-)? lg
24. Mai – 13:37

	r	f
1. WoSama gibt es nur als Verkehrsapp.	☐	☐
2. Marius möchte wissen, ob das Navi wirklich so einfach ist.	☐	☐
3. Marius fragt Tom, ob er nach Flensburg mitkommt.	☐	☐
4. Tom fragt Marius, ob er die App kaufen will.	☐	☐
5. Marius fragt Tom, ob er zum Essen kommt.	☐	☐

b **Vergleichen Sie die Fragen in den Nachrichten und in den Aussagen 1 bis 5. Ergänzen Sie.**

Indirekte Fragesätze: Ja-/Nein-Fragen mit *ob*

Marius schreibt: „**Ist** ______________?"	Marius schreibt: „**Kommst du** zum Essen?"
Marius fragt, **ob** das Navi wirklich so einfach **ist**.	Marius fragt Tom, ______________.

c **Was möchten die Leute wissen? Schreiben Sie indirekte Fragesätze.**

FAQ
- Sind die Informationen wirklich aktuell?
- Kennt WoSama alle Baustellen?
- Muss man das Gerät immer einschalten?
- Erkennt WoSama auch kleine Staus?
- Sieht man auch alle Radarkameras?
- Gibt WoSama meine Daten weiter?

Viele Leute fragen, ob die Informationen … Andere Leute wollen wissen, …

7 **Überlegungen vor einer Reise. Was möchten Sie wissen? Was kann passieren? Sprechen Sie in Gruppen.**

Wortschatz AB

Ich bin gespannt, ob ich einen Parkplatz finde.

Ich möchte wissen, … • Ich bin gespannt, … • Ich frage mich (oft), … • Ich weiß nicht/nie, … • Ich mache mir (immer) Sorgen, … • Mich interessiert, … • Ich bin nicht sicher, …

rechtzeitig ankommen • viel Verkehr sein • Baustellen und Staus sein • den nächsten Zug/Bus erreichen • reservieren müssen • einen Parkplatz finden • viel Benzin brauchen • schneller sein mit … • …

So findest du zu mir

8

a Lesen Sie die Mail. Warum hat Lara die Mail geschrieben?

Liebe Pia,
endlich kommst du mich besuchen! Leider kann ich dich nicht abholen, deshalb musst du den Weg allein finden. Aber keine Angst, es ist ganz einfach! Vom Bahnhof ist es nicht weit, nur ca. 10 Minuten zu Fuß. Du gehst vom Bahnhof geradeaus bis zum Fluss. Nicht über die Brücke gehen! Geh rechts den Fluss entlang und dann durch den kleinen Park bis zur Kirche, dann um die Kirche herum und am Kinderspielplatz vorbei. Danach gehst du rechts in die Hansastraße bis zur Kreuzung, da gehst du noch mal links in die Ringstraße. Gegenüber der Bäckerei ist Hausnummer 53 und da wohne ich! Meinen Wohnungsschlüssel bekommst du in der Bäckerei. Die Verkäuferinnen kennen mich gut.
Ich komme um fünf, dann gehen wir zusammen essen. Bist du einverstanden?
Also bis Samstag – ich freue mich schon auf dich!
Lara

b Lesen Sie die Präpositionen im Kasten und die Mail in 8a noch einmal. Markieren Sie diese Präpositionen mit Substantiv im Text. Ergänzen Sie im Grammatikkasten *Dat.* und *Akk.*

Lokale Präpositionen

mit ______: an … vorbei, bis zu …, gegenüber …

mit ______: durch …, … entlang, um … herum

**c Zeichnen Sie den Weg auf dem Stadtplan ein.
Vergleichen Sie mit Ihrem Partner / Ihrer Partnerin.**

6.13

d Schreiben Sie zu dem Plan in 8c eine neue Wegbeschreibung. Geben Sie Ihrem Partner / Ihrer Partnerin die Beschreibung. Er/Sie zeichnet den Weg in den Stadtplan. Sie kontrollieren.

9

1.64

a Schwierige Wörter. Markieren Sie die Wortbestandteile und sprechen Sie die Wörter langsam. Hören Sie zur Kontrolle.

1. Navigations gerät
2. Kinderspielplatz
3. Zeitungsartikel
4. Verkehrsmittel
5. Wohnungsschlüssel
6. Stadtbesichtigung
7. Sehenswürdigkeit
8. Wegbeschreibung

b Wählen Sie vier Wörter aus und lesen Sie die Wörter erst langsam und dann immer schneller.

Ein Auto für viele

10 a Lesen Sie den Text. Für wen ist Carsharing interessant, für wen nicht?

▪ Mein Auto – dein Auto ▪

Man braucht kein eigenes Auto und kann immer günstig eines leihen: So funktioniert Carsharing. Angebote gibt es von verschiedenen Anbietern in jeder Stadt. Neu auf dem Markt ist Flinkster – das Angebot der Bahn – mit Stationen in ganz Deutschland.

▪ Ist Carsharing etwas für mich?
Carsharing funktioniert ähnlich wie eine Autovermietung, aber ist billiger und flexibler. Ein Privatauto steht im Durchschnitt 23 Stunden täglich. Also können eigentlich auch andere in dieser Zeit mit dem Wagen fahren. Wenn Sie Ihr Auto also nur manchmal brauchen, dann denken auch Sie über dieses Konzept nach. Wenn Sie aber viel fahren oder das Auto für den Weg zur Arbeit brauchen, dann lohnt sich Carsharing nicht. Das eigene Auto oder andere Verkehrsmittel sind in dem Fall billiger.

▪ Wie werde ich Mitglied?
Fragen Sie bei dem Anbieter in Ihrer Stadt, wie es genau funktioniert. Wenn Sie Mitglied werden möchten, dann müssen Sie nur einmal einen Vertrag unterschreiben. Manchmal muss man eine kleine Gebühr bezahlen.

▪ Wie leihe ich ein Auto?
Als Mitglied können Sie telefonisch oder im Internet 24 Stunden pro Tag einen Wagen mieten – für nur eine Stunde oder auch länger. Wenn Sie fahren, bezahlen Sie die Zeit und die Kilometer. Ansonsten müssen Sie sich um nichts kümmern, also keine Reparaturen, keine Versicherung etc. Außerdem können Sie verschiedene Autos mieten. Sie finden die Autos auf einem Parkplatz in der Nähe Ihrer Wohnung. Es kann natürlich sein, dass Ihr Wunschauto nicht da ist. Dann müssen Sie entweder ein anderes Auto nehmen oder zu einem anderen Parkplatz fahren. Das ist manchmal unpraktisch, aber nicht unmöglich. Die Telefonzentrale hilft Ihnen hier jederzeit weiter.

b Arbeiten Sie zu zweit. Person A findet Carsharing positiv, B negativ. Unterstreichen Sie im Text „Ihre" Gründe. Machen Sie Notizen und sammeln Sie weitere Gründe.

c Sprechen Sie mit Ihrem Partner / Ihrer Partnerin. Vertreten Sie „Ihre" Meinung aus 10b. Verwenden Sie dabei die Redemittel.

allgemein	positiv	negativ
Ich bin der Meinung, dass ...	Ich finde das gut, weil ...	Ich bin gegen ..., weil ...
Ich meine, dass ...	... ist sehr interessant.	Ich finde ... nicht so gut.
Ich finde, dass ...	Ich denke, das ist richtig.	Ich glaube, ... funktioniert nicht.
Ich denke, ...	Für mich ist ... gut/praktisch/...	Für mich ist ... schlecht/ unpraktisch/Unsinn/...

Ich finde, dass Carsharing eine tolle Idee ist. Man kann ...

Ich glaube, Carsharing funktioniert nicht, weil ...

d Was denken Sie wirklich? Ist das Angebot von Stadtteilauto interessant für Sie?

e Gibt es Sharing-Modelle auch bei Ihnen – nicht nur für Autos? Recherchieren Sie auch im Internet.

Der Weg zur Arbeit in D-A-CH

11 a Lesen Sie. Wie kommen die drei Personen zur Arbeit? Welche Verkehrsmittel benutzen sie? Wie lange brauchen sie?

Anna Franze, 34, Grafikerin, Hamburg

Bei mir ist das ganz einfach. Ich fahre immer mit dem Fahrrad. Das dauert eine halbe Stunde und ist viel schneller als mit dem Bus oder der U-Bahn. Außerdem bin ich dann richtig wach und muss nie warten!

Verkehrsmittel: ____________________

Dauer: ____________________

Markus Müller, 56, Arzt, Vernay am Neuenburger See

Ich wohne auf dem Land und fahre jeden Tag nach Bern, ich pendle also. Ich fahre mit dem Auto zum Bahnhof, das sind 30 Minuten. Dann fahre ich mit dem Zug. Zum Glück ist meine Praxis gleich beim Bahnhof. Die Zugfahrt dauert 40 Minuten.

Verkehrsmittel: ____________________

Dauer: ____________________

Peter Koch, 22, Student, Wien

Ich wohne noch zu Hause und muss täglich zur Uni. Zuerst nehme ich den Bus, dann fahre ich mit der U-Bahn und am Ende noch mit der Straßenbahn. Zusammen dauert das etwa 50 Minuten, manchmal sogar eine Stunde – in eine Richtung!

Verkehrsmittel: ____________________

Dauer: ____________________

b Sprechen Sie im Kurs. Wie kommen Sie zum Sprachkurs? Machen Sie eine Kursstatistik. Welches Verkehrsmittel ist am beliebtesten?

c Wie lange brauchen Sie zum Kurs? Machen Sie eine Schlange: Wer braucht am längsten? Er/Sie steht ganz vorn. Wer braucht am kürzesten? Er/Sie steht ganz hinten.

12 a Verkehrsstatistik. Arbeiten Sie zu zweit. Sehen Sie jeweils eine Statistik an und berichten Sie Ihrem Partner / Ihrer Partnerin. Die Ausdrücke in den Kästen helfen Ihnen.

Für den Weg zur Arbeit braucht man …

Stadt	< 10 Min.	10–20 Min.	20–30 Min.	30–45 Min.	> 45 Min.
Essen	15 %	31 %	22 %	17 %	15 %
Wien	11 %	23 %	32 %	20 %	14 %
Berlin	16 %	21 %	19 %	23 %	21 %

Für den Weg zur Arbeit benutzen …

Stadt	öffentliche Verkehrsmittel	Fahrrad / zu Fuß	Auto/ Motorrad	andere
Essen	28 %	12 %	58 %	2 %
Wien	53 %	13 %	34 %	0 %
Berlin	43 %	23 %	33 %	1 %

In … brauchen die meisten / … Prozent weniger/mehr als … Minuten zur Arbeit. • Die meisten / Nur wenige brauchen zwischen … und … Minuten zur Arbeit. • In … ist der Weg zur Arbeit im Durchschnitt länger/kürzer als in …

Die meisten / Nur wenige / … Prozent fahren mit … / benutzen … / gehen zu Fuß. • In … benutzen viele Leute / … Prozent …

b Wie finden Sie das Ergebnis? Sind Sie überrascht? Vergleichen Sie mit Ihren Kursergebnissen aus Aufgabe 11b und c.

Mit dem Fahrrad auf Reisen

13 a **Was war Ihre längste Strecke mit dem Fahrrad oder zu Fuß? Erzählen Sie im Kurs.**

b **Lesen Sie die Information über eine Radiosendung mit Christoph D. Brumme. Worüber hat er ein Buch geschrieben? Was ist besonders? Berichten Sie im Kurs.**

SONNTAG

14.03., 14.30–15.00 Uhr

In unserer Sendung „Anders reisen" sprechen wir diese Woche mit Christoph D. Brumme. Er ist Schriftsteller und hat ein Buch über seine Fahrradtour geschrieben: 8353 km mit dem Fahrrad von Berlin über Polen und die Ukraine nach Saratov in Russland und zurück. Von den Eindrücken und Begegnungen mit den Menschen erzählt er in seinem Buch und bei uns im Interview.

Christoph D. Brumme an der Wolga

c **Das Interview. Was fragt der Journalist vielleicht? Sammeln Sie im Kurs Fragen.**

Wie viele Kilometer sind Sie täglich gefahren?
Wo …?

Interviews verstehen
Überlegen Sie vor dem Hören von Interviews: Welche Fragen passen zum Thema? Worüber spricht man wahrscheinlich in dieser Situation? Dann verstehen Sie leichter.

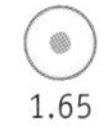
1.65

d **Hören Sie das Interview. Welche Fragen stellt der Journalist? Notieren Sie und vergleichen Sie mit Ihren Fragen aus 13c.**

1.65

e **Hören Sie noch einmal in Abschnitten. Was finden Sie interessant? Notieren Sie zu jeder Antwort ein bis zwei Stichpunkte und vergleichen Sie im Kurs.**

14 a **Vorbereitungen. Was muss man auf so eine lange Fahrradreise mitnehmen? Sammeln Sie im Kurs.**

b **Lesen Sie den Anfang von Christoph D. Brummes Buch „Auf einem blauen Elefanten" und vergleichen Sie mit Ihren Dingen aus 14a. Haben Sie etwas vergessen? Oder haben Sie zu viel Gepäck?**

„Endlich alle Vorbereitungen abgeschlossen. Die Reise von Berlin an die Wolga kann beginnen. Ich habe weniger Gepäck auf dem Fahrrad als befürchtet. Zwei Taschen am Hinterrad mit Wäsche, Büchern, Werkzeug und Ersatzteilen, außerdem Zelt, Schlafsack und Isomatte. Die Kleidung ist in durchsichtigen Tüten verstaut, für kühle Nächte auch lange Unterwäsche und eine Wollmütze.
In der Lenkertasche sind die Dinge für die höchste Not, der Reisepass, Landkarten, außerdem die Notizbücher. In der Seite steckt griffbereit ein Messer. Kein Kompass. Wozu, weiße Flecken auf der Landkarte hat auch Russland nicht zu bieten."

c **Welche Reisen haben Sie schon gemacht oder möchten Sie machen? Erzählen Sie.**

Der Film

15 a **Zu spät! Sie und Ihr Partner / Ihre Partnerin haben es eilig. Sie müssen in 20 Minuten am Bahnhof sein. Welches Verkehrsmittel nehmen Sie? Warum? Sprechen Sie zu zweit und einigen Sie sich auf ein Verkehrsmittel.**

Wir nehmen am besten ..., weil ... *... ist am schnellsten, weil ...*

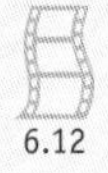
6.12

b **Sehen Sie Szene 12. Wer sagt was? Verbinden Sie.**

1. Bist du fertig?
2. Da bist du ja endlich.
3. Das schaffen wir schon.
4. Ich bin gleich da.
5. Ich muss um Viertel vor eins am Bahnhof sein.
6. Ich ruf besser ein Taxi.
7. Jetzt beruhige dich.
8. Jetzt warte doch, ich bin gleich da.
9. Nette Begrüßung ...
10. Was? Du fährst jetzt erst los?
11. Wo steckst du denn?

c **Kommt Herr Berg rechtzeitig zum Bahnhof? Arbeiten Sie zu zweit. Entscheiden Sie sich für „Ja" oder „Nein" und schreiben Sie ein kurzes Ende für die Szene. Spielen Sie dann „Ihre Filmszene" vor.**

16 a **Der Weg ist ganz einfach. Hören Sie Szene 13 ohne Bild. Nummerieren Sie die Fotos in der richtigen Reihenfolge.**

6.13

b **Sehen Sie Szene 13 zur Kontrolle.**

6.13

c **Ihr Partner / Ihre Partnerin sucht den Weg von Ihrer Sprachenschule zum Bahnhof / zum Markt / ... . Schreiben Sie zu zweit den Dialog und spielen Sie ihn vor.**

Kurz und klar

Informationen erfragen

Können Sie mir sagen, ...	ob wir den Zug um 16.24 Uhr erreichen?
Entschuldigung, wissen Sie, ...	wann wir ankommen?
Wissen Sie, ...	warum es nicht weitergeht?
(Entschuldigung,) Ich weiß nicht, ...	wann und wo der Zug abfährt.

Unsicherheit und Nichtwissen ausdrücken

Ich bin gespannt, ...	ob ich den Zug noch erreiche.
Ich möchte wissen, ...	ob es Staus gibt.
Mich interessiert, ...	ob ich mit dem Zug oder mit dem Auto schneller bin.
Ich mache mir (immer) Sorgen, ...	ob ich rechtzeitig ankomme.
Ich frage mich oft, ...	ob ich einen Parkplatz finde.
Ich weiß nicht/nie, ...	ob ich einen Platz reservieren muss.
Ich bin nicht sicher, ...	ob wir einen Parkplatz finden.

die eigene Meinung sagen

allgemein	positiv	negativ
Ich bin der Meinung, dass ...	Ich finde das gut, weil ...	Ich bin gegen ..., weil ...
Ich meine, dass ...	... ist sehr interessant.	Ich finde ... nicht so gut.
Ich finde, dass ...	Ich denke, das ist richtig.	Ich glaube, ... funktioniert nicht.
Ich denke, ...	Für mich ist ... gut/praktisch/...	Für mich ist ... schlecht/ unpraktisch/Unsinn/...

Grammatik

Indirekte Fragesätze: W-Fragen

Mann: „Warum steht der Zug?"
Frau: „Wann **komme ich** in Berlin **an**?"

Der Mann fragt,	**warum**	der Zug	**steht**.
Eine Frau will wissen,	**wann**	**sie** in Berlin	**ankommt**.

Indirekte Fragesätze: Ja-/Nein-Fragen mit *ob*

Marius: „Ist das Navi einfach?"
Marius: „Kommst **du** zum Essen?"

Marius fragt,	**ob**	das Navi einfach	**ist**.
Marius fragt Tom,	**ob**	**er** zum Essen	**kommt**.

Lokale Präpositionen

mit Dativ	**mit Akkusativ**
an ... vorbei, bis zu, gegenüber	durch, ... entlang, um ... herum
Lara geht **bis zum** Fluss. Sie geht **am** Spielplatz **vorbei**. Das Haus ist **gegenüber der** Bäckerei.	Sie geht **den** Fluss **entlang**. Dann geht sie **durch den** Park. Sie geht **um die** Kirche **herum**.

Wiederholungsspiel

1 **Was sagen Sie da? Spielen Sie in kleinen Gruppen.**

Sie brauchen einen Würfel. Jeder Spieler braucht eine kleine Spielfigur. Alle Spielfiguren stehen auf „Start".

Wer ist am größten? Dieser Spieler beginnt. Er würfelt und löst die Aufgabe:

Richtig? Der Spieler bekommt einen Punkt. Falsch? Kein Punkt.

Der nächste Spieler ist dran.

Sie kommen auf ein Feld mit der Leiter:

Sie klettern die Leiter rauf.

Sie kommen auf ein Feld mit dem Kopf von der Schlange: Sie gehen zurück zum Schwanz.

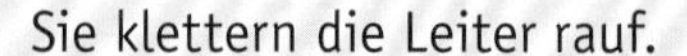

Wer ist zuerst im Ziel? Wer hat am meisten Punkte? Es gibt zwei Gewinner.

Ziel

Ein Erlebnis im Ausland. Berichten Sie mit drei Sätzen.

Warum haben Sie nicht angerufen? Warum kommen Sie zu spät?

Antworten Sie mit zwei *weil*-Sätzen.

Wann sind Sie nervös? Wann freuen Sie sich? Antworten Sie mit zwei *wenn*-Sätzen.

Sie stellen einem Freund / einer Freundin zwei Fragen zu seiner/ihrer Stadt:
1. empfehlen können / ein Restaurant / gut
2. kennen / ein Platz / interessant

Kannst du mir …

Start

Sie haben Geburtstag. Wie feiern Sie? Berichten Sie mit drei Sätzen.

Was macht ein Friseur? Beschreiben Sie mit drei Sätzen.

:in Fest in Ihrer Stadt? Vie heißt das Fest? Was :ann man da machen?

3erichten Sie mit drei ätzen.

Was hat Frau Miller gemacht? Bilden Sie zwei Sätze.

mit 30 Jahren / nicht mehr / in einer Bank / arbeiten wollen

studieren / und / Lehrerin / werden

Sie arbeiten in der Firma Matt & Co. Sie bekommen einen Anruf. Der Anrufer möchte mit Frau Weber sprechen. Sie ist nicht da.

Was sagen Sie?

Was gibt es in Hamburg? Achten Sie auf die Adjektive.
das Rathaus / schön
der Hafen / modern
der Fischmarkt / groß

Es gibt ein …

Wo waren Sie in Stuttgart? Machen Sie Sätze und ergänzen Sie das Adjektiv:

- in einem Konzert / toll
- in einer Ausstellung / interessant
- in einem Theater / modern

Ich war in …

Fragen Sie in höflicher Form:
Wann fährt der Bus?
Welche Straßenbahn fährt zum Marktplatz?
Wo ist eine Bank?

Können Sie mir sagen, …

Sie sind auf einer Party. Ihr Glas fällt auf den Boden.

Was sagen Sie?

Sie wollen mit dem Zug nach Luzern fahren. Was fragen Sie am Bahnhof? Nennen Sie drei Fragen.

Ein Freund / eine Freundin hat eine wichtige Prüfung bestanden.

Gratulieren Sie.

Sie machen ein Interview. Thema: Der Weg zur Arbeit / zum Kurs.

Stellen Sie drei Fragen.

Sie haben einen schönen Film gesehen. Empfehlen Sie den Film einem Freund / einer Freundin. Was sagen Sie?

Sie fahren mit dem Auto und wollen pünktlich sein. Welche Probleme gibt es vielleicht?

Nennen Sie drei Möglichkeiten.

Was macht ein Lehrer / eine Lehrerin? Beschreiben Sie mit drei Sätzen.

Feste in D-A-CH

2

a **Arbeiten Sie in vier Gruppen. Jede Gruppe sieht ein Foto an. Welches Fest ist das? Was wissen Sie schon über das Fest? Sammeln Sie.**

b **Lesen Sie den Text zu „Ihrem" Foto und sammeln Sie Informationen zu folgenden Fragen. Vergleichen Sie in Ihrer Gruppe.**

Wann feiert man das? Wie feiert man das? Mit wem feiert man das?

c **Mischen Sie die Gruppen. Berichten Sie in den neuen Gruppen über „Ihr" Fest.**

Ostern ist im Frühling, aber jedes Jahr an einem anderen Datum. Das Osterfest dauert vier Tage – von Karfreitag bis Ostermontag.
Man feiert Ostern am Ostersonntag, meistens mit der Familie. Viele gehen in die Kirche, man frühstückt lang und geht spazieren. Bei Kindern ist das Fest besonders beliebt. Der Osterhase kommt und versteckt (Schokoladen-)Eier und kleine Geschenke im Haus und im Garten.

midsummer Annika Lindström 31.12. / 23:55
Stehe mit Freunden im Stadtpark. Alles bereit: Feuerwerk, Sekt, gute Laune. Danach feiern wir bei Doro weiter – bis zum Morgen. Frohes neues Jahr!

sch@ko Eva Taler 01.01. / 00:03
Gutes neues Jahr! Wo seid ihr denn? Wir feiern gerade auf der Brücke. Wollt ihr nicht noch kommen?

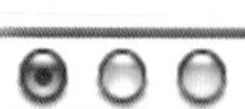

Lieber Thorsten, Weihnachten ist vorbei und es war toll! Ich feiere doch immer mit meiner Familie, also mit Eltern, Geschwistern, Cousins … . Am 24.12. schmücken wir morgens den Baum, am Abend essen wir schön zusammen, unterhalten uns und singen Weihnachtslieder. Das haben wir auch dieses Jahr gemacht. ABER dieses Jahr haben wir eine Sache mal anders als sonst gemacht: Wir haben uns nichts geschenkt! Also kein Stress im Dezember, keine Einkäufe in der Stadt, nicht viel Geld ausgeben. Der Abend war dann total entspannt. Wie war es denn bei dir?
Melde dich mal!
Corinna

Mein Karneval-Blog

Dieses Jahr gehe ich als Cowboy. Ich freue mich schon: lange feiern mit meinen Freunden und neue Leute kennenlernen! Nächste Woche geht es wieder richtig los, endlich ist Karneval! Also eigentlich ist es ja schon am 11.11. losgegangen, aber die „wilden Tage" sind immer erst am Ende. Da gibt es bei uns in Köln den Karnevalsumzug und die ganze Stadt macht mit. Bei uns feiern manche Leute 6 Tage ohne Pause! Das schaffe ich nicht (mehr), aber zwei bis drei Tage ...

Übrigens: *Karneval* feiert man im Rheinland und in Mainz. In Süddeutschland und Österreich heißt es *Fasching* und im Südwesten und der Schweiz *Fas(t)nacht*. Es ist die Zeit vom 11.11. bis Februar/März.

3

1.66–69

a Festliche Szenen. Hören Sie. Welche Feste aus Aufgabe 2a finden gerade statt?

	Fest	Ausdruck
Szene 1		
Szene 2		
Szene 3		
Szene 4		

b Ordnen Sie die Ausdrücke den Szenen in Aufgabe 3a zu.

Frohe Weihnachten! Guten Rutsch! Frohes/Gutes neues Jahr! Frohe Ostern! Helau!

c Was ist bei Ihnen anders? Sprechen Sie in der Gruppe.

Silvester feiert man in Russland wie Weihnachten in Deutschland.

4

Welche Feste feiert man bei Ihnen? Machen Sie ein Poster und beschreiben Sie ein Fest. Die Fragen im Kasten helfen Ihnen. Bringen Sie Fotos mit.

Was für ein Fest ist das?	Das Fest heißt ... • Das bedeutet ... • Man feiert ... • Das feiert man schon seit ... Jahren / sehr lang / erst seit einigen Jahren.
Wann feiert man das Fest?	Das Fest feiert man immer im ... / am ... / vom ... bis ... • Die Feier findet im ... / am ... statt. • Man feiert es jedes Jahr.
Wie feiert man? Was sagt man?	Man feiert es mit der Familie / mit Freunden / ... • Alle ziehen sich schön an / kochen gut / ... • Man sagt „Happy New Year!" / ...
Was gefällt Ihnen (nicht)?	Ich finde es (nicht) schön, dass ... • Es gefällt mir (nicht), dass ... • Das finde ich toll.

Lernziele

Lernprobleme verstehen und beschreiben
Ratschläge verstehen und geben
etwas begründen
Berichte über den Berufsalltag verstehen
über den Berufsalltag sprechen
eine Radioreportage verstehen
eine Mini-Präsentation verstehen und machen

Grammatik

Sätze verbinden: *denn* und *weil*
Konjunktiv II: *sollte* (Ratschläge)
Genitiv: Name + *-s*
temporale Präpositionen: *bis*, *über* + Akkusativ, *ab* + Dativ

Gelernt ist gelernt!

Verfasst am: 07.02. | 18.56

b@rde Ich möchte gern Gitarre spielen. Wie habt ihr das gelernt?

Verfasst am: 07.02. | 19.40

Henry15 Ich habe Gitarre spielen gelernt, weil ich unbedingt die Lieder von meinen Lieblingsbands spielen wollte. Erst habe ich mir eine Gitarre geliehen und allein mit einem Buch gelernt. Gar nicht so einfach! Ohne Kurs und ohne Lehrer braucht man viel Disziplin. Und üben muss man sowieso viel. Ich finde das ziemlich toll, dass ich ganz allein Gitarre spielen gelernt habe. Aber ich will noch besser werden, deshalb mache ich im Moment noch einen Online-Kurs.

Lieber Tobias,

vielen Dank noch mal, dass du mir gezeigt hast, was man am Computer alles machen kann. Du hast mir das so gut erklärt, dass es ganz einfach für mich war. Das Internet finde ich wirklich sehr praktisch, ich habe schon viele wichtige Informationen gefunden. Und gestern habe ich zum ersten Mal mit meiner alten Freundin Marianne in Amerika geskypt. Das war sehr schön!

Herzliche Grüße
Dein Opa

1

a Sehen Sie die Fotos an. Was lernen die Personen? Kann man das leicht lernen oder ist das schwierig? Was meinen Sie?

Ich glaube, Chinesisch lernen ist …

b Lesen Sie die Texte. Wie haben die Personen das gelernt? Warum? War/Ist es einfach oder schwierig? Machen Sie eine Tabelle.

Was gelernt?	Wie gelernt?	Warum?	Einfach oder schwierig?
mit dem Computer arbeiten			
…			

2.2–4

c Und die anderen Personen? Hören Sie und ergänzen Sie noch mehr Informationen in der Tabelle.

2

Und Sie? Sprechen Sie mit Ihrem Partner / Ihrer Partnerin. Machen Sie Notizen und berichten Sie im Kurs.

7.14

Was haben Sie wann gelernt? (zwei Beispiele)
Wie haben Sie das gelernt? Was war einfach, was war schwierig?
Was möchten Sie gern noch lernen?

Wo ist das Problem?

3 **a** **Lesen Sie die Checkliste „Probleme beim Lernen und in Prüfungen" und die Beiträge im Forum. In welchem Beitrag finden Sie welche Probleme? Notieren Sie.**

Checkliste „Probleme beim Lernen und in Prüfungen"

- [ ] zu spät anfangen
- [ ] den Zeitplan nicht einhalten
- [ ] nur lernen, nichts anderes machen
- [3] etwas anderes machen wollen
- [ ] zu viel Kaffee trinken
- [ ] nicht genug schlafen
- [ ] alles schnell vergessen
- [ ] Angst vor Prüfungen haben
- [ ] keine klaren Gedanken haben

1 gerber02

Nächste Woche habe ich eine Prüfung und vor dieser Prüfung habe ich richtig Angst. Ich mag mündliche Prüfungen nicht, da geht alles in meinem Kopf durcheinander. Ich bin so nervös, wenn ich den Prüfer vor mir sehe. Er fragt mich etwas und mir fällt nichts ein – alles weg. Es ist dann schrecklich still, das ist so peinlich. Wenn ich dann endlich spreche, wird es immer besser.

2 Schrauber

Ich arbeite als Mechaniker und lerne für die Meisterprüfung. Ich muss viel lernen, jeden Tag gleich nach der Arbeit mindestens noch drei bis vier Stunden. Es wird immer so spät, ich habe zu wenig Schlaf. Aber nur so kann ich den ganzen Stoff schaffen. Ich weiß schon gar nicht mehr, was ein Wochenende ist. Und ich kann schon bald keinen Kaffee mehr sehen!

3 Mona

2.5

Alle haben Spaß, aber ICH muss heute lernen. Das Ende vom Semester kommt, und ich habe richtig Stress. Viele Dinge kapier' ich einfach noch nicht und andere vergesse ich gleich wieder. Ich muss noch drei Arbeiten schreiben. Das ist einfach viel zu viel! Es ist jedes Semester das gleiche Problem: Ich mache immer einen schönen Zeitplan, aber ich lerne trotzdem erst dann, wenn die Zeit knapp wird.

Gut gesagt:
Sie verstehen das nicht.
Ich kapier' das nicht.
Ich check's nicht.
Ich blick's nicht.
Ich versteh' nur Bahnhof.

b **Welche Probleme kennen Sie auch? Gibt es noch andere Probleme zum Thema „Lernen und Prüfung"? Sammeln Sie im Kurs.**

sich nicht konzentrieren • nicht konsequent sein • zu wenig Disziplin haben • sich nicht entspannen • alles verschieben • zu perfekt sein wollen • zu wenig wiederholen • ...

Ich kann mich oft nicht konzentrieren, wenn ich lerne. ...

c **Beschreiben Sie ein Problem wie in einem Forumsbeitrag. Der Lehrer / Die Lehrerin sammelt die Beiträge ein. Sie arbeiten später damit weiter.**

Was müssen Sie machen? Was ist das Lernproblem? Wie fühlen Sie sich?

4

a Lernproblem gelöst? Lesen Sie die Antworten aus dem Forum. Zu welchem Beitrag aus 3a passen sie? Ordnen Sie zu.

___ ↳ **ka_otin13** Ich kann einfach nicht glauben, was du da sagst. Natürlich kannst du früher für Prüfungen lernen oder deine Arbeiten schreiben. Hast du es wirklich probiert? Ein Tipp: Du solltest nicht deine ganze Zeit verplanen, lass „offene Zeiten" in deinem Arbeitsplan. Stell dir vor, du wirst krank und hast z. B. eine Grippe. Und: Stehen Sport, Freunde treffen oder Freizeit in deinem Zeitplan? Warum nicht?

___ ↳ **der Lernhelfer** Es gibt ein paar kleine Tricks gegen die Angst. Atme tief durch, das hilft schon. Frage noch mal nach, so kannst du Zeit gewinnen. Zum Beispiel: „Habe ich das richtig verstanden, dass ...?". Übrigens – auch die Prüfer sind oft nervös, denn sie müssen sich sehr konzentrieren und gerecht sein.

___ ↳ **EinsteinsKatze** Ich glaube, Sie haben zu viel Angst vor einem Fehler. Sie dürfen doch auch in einer Prüfung mal einen Fehler machen, das versteht jeder Prüfer. Nobody is perfect!

___ ↳ **Doktor Cool** Zum Lernen brauchen Sie dringend Energie, das ist am wichtigsten. Sie sollten unbedingt Pausen machen, nach der Arbeit mal eine Stunde nichts tun. Und Sie können ruhig auch einen freien Tag pro Woche machen, denn der Kopf braucht auch Erholung! Übrigens, wenig Kaffee, aber viel, viel Wasser! Das ist gut für den Kopf. Und Kaffee macht nervös.

b Ordnen Sie zu.

1. ___ gerber02 sollte in der Prüfung auch nachfragen,
2. ___ gerber02 sollte nicht so streng zu sich sein,
3. ___ Schrauber sollte weniger Kaffee trinken,
4. ___ Mona muss auch Freizeit für sich einplanen,

A denn Kaffee macht nervös.
B weil Erholung und Spaß auch wichtig sind.
C weil er so Zeit gewinnen kann.
D denn er darf auch mal einen Fehler machen.

c Markieren Sie in 4b *denn* und *weil* und das Verb. Machen Sie aus denn-Sätzen weil-Sätze und umgekehrt.

Sätze verbinden: *denn* und *weil*

Schrauber sollte weniger Kaffee trinken, **denn** Kaffee **macht** nervös.
weil Kaffee nervös **macht**.
Begründung

d Geben Sie Ratschläge. Was sollten die Personen aus 3a noch tun? Warum?

Mona sollte sich für ihre Arbeit belohnen, denn das motiviert.

Ratschläge mit *sollte*

Du	soll**test**	dich für deine Arbeit	belohnen.
Man	soll**te**	auch Freizeit	einplanen.
Sie	soll**ten**	unbedingt Pausen	machen.

5

Lesen Sie einen Forumstext aus 3c und schreiben Sie eine Antwort. Geben Sie Ratschläge und begründen Sie.

Sie sollten ... Du kannst auch ...
Machen Sie ...! Sie müssen (unbedingt) ...

Ich kann dich gut verstehen. Aber ich habe einen Tipp. Du kannst ..., denn ...

Beruf *Sprache*

6 **a** **Welche Berufe haben mit Sprache zu tun? Sammeln Sie im Kurs. Benutzen Sie auch ein Wörterbuch.**

b **Arbeiten Sie zu dritt. Jeder wählt eine Person aus dem Zeitschriftenartikel und liest den Text dazu. Machen Sie Notizen wie im Beispiel. Stellen Sie Ihre Person vor. Machen Sie dann zu dritt eine Tabelle und ergänzen Sie alle Informationen zu den drei Personen.**

	Tom	
Beruf		
Aufgaben		
Tagesablauf		
Vorteile		
Nachteile		

Toms Beruf ist Gebärdendolmetscher. Er …

Genitiv: Name + *-s*
der Beruf von Lina → Linas Beruf
der Arbeitstag von Tom → Toms Arbeitstag
der Tag von Klaus → Klaus' Tag

Mit Sprache arbeiten

Sprachen faszinieren viele Menschen und viele lernen in ihrer Freizeit eine neue Sprache. Wir stellen Ihnen Menschen vor, die Sprache zu ihrem Beruf gemacht haben.

Tom

Vor einem Jahr habe ich meine Ausbildung als Gebärdendolmetscher abgeschlossen. Das ist mein Traumberuf! Ich sorge für eine gute Kommunikation zwischen den Menschen und ich mache jeden Tag etwas anderes. Manchmal begleite ich gehörlose Menschen zu einer Untersuchung beim Doktor. Oder ich dolmetsche in Konferenzen, im Gericht oder auf dem Standesamt, wenn jemand heiratet. Das ist interessant und abwechslungsreich.
An manchen Tagen habe ich mehrere Aufträge und arbeite von 8 Uhr morgens bis 8 Uhr abends. An anderen Tagen habe ich komplett frei. Aber ab Oktober habe ich einen festen Termin in der Woche, da unterrichte ich immer am Montag in einer Schule für Gehörlose.

Lina

Ich bin noch in der Ausbildung, aber ich habe es fast geschafft. Ich will Logopädin werden, weil Sprachtherapie schon immer interessant für mich war. Am liebsten möchte ich mit Kindern arbeiten, in einer schönen Praxis mit netten Leuten und festen Arbeitszeiten. Jetzt bin ich den ganzen Tag in der Schule. Nach dem Unterricht lerne ich immer noch über eine Stunde, manchmal auch 2 oder 3 Stunden, also bis 10 oder 11 Uhr abends. Das geht noch bis nächsten Sommer so. Dann sind Prüfungen und ab dem ersten Juni, nach drei Jahren Ausbildung, bin ich richtige Logopädin und kann mit dem Arbeiten anfangen.

7.15

Klaus

Seit vier Jahren bin ich Übersetzer von Drehbüchern für Filme. Film und Kino haben mich schon immer fasziniert. Ich arbeite freiberuflich wie viele Übersetzer, bin also mein eigener Chef. Manchmal habe ich sehr viel Arbeit. Ich fange morgens um 10 Uhr an und arbeite bis Mitternacht. Es gibt aber auch andere Phasen. Da warte ich dann auf Aufträge und habe sehr viel Zeit. Ich habe also auch mal am Montag frei. Ich liebe meinen Beruf, aber manchmal ist es auch ein bisschen einsam.

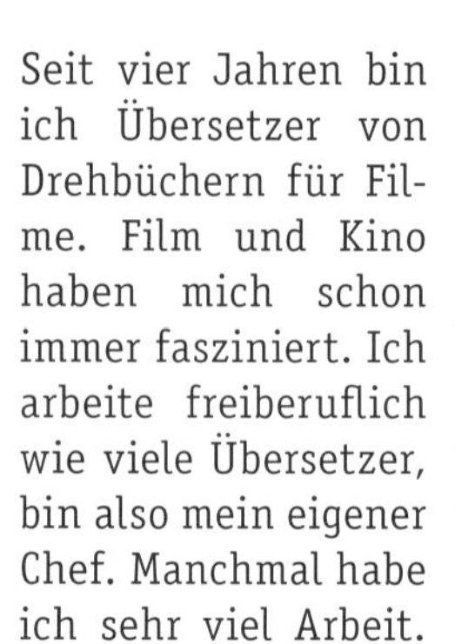

7

a Zeitangaben. Lesen Sie die Sätze und verbinden Sie sie mit den Bildern.

1. Mein Unterricht dauert bis ein Uhr.
2. Ich lerne am Abend über eine Stunde.
3. Ab dem ersten Juni kann ich mit dem Arbeiten anfangen.

A 

B 

C 

Temporale Präpositionen
bis + Akkusativ → **bis** ein Uhr
über + Akkusativ → **über** eine Stunde
ab + Dativ → **ab** dem ersten Juni

b Lesen Sie die Texte in 6b und markieren Sie alle Zeitangaben.

c Viele Zeitangaben haben eine Präposition. Schreiben Sie diese Angaben in die Tabelle.

Temporale Präpositionen mit Akkusativ	Temporale Präpositionen mit Dativ
um 10 Uhr	*an manchen Tagen*

8

Und Ihr Alltag? Wählen Sie fünf Präpositionen aus Aufgabe 7a und 7c und schreiben Sie sie auf einen Zettel. Geben Sie den Zettel Ihrem Partner / Ihrer Partnerin. Er/Sie schreibt mit diesen Präpositionen einen kurzen Text über seinen/ihren Alltag.

an, bis, um, vor, über
Ich bin Tänzerin von Beruf. An den Arbeitstagen stehe ich um 7 Uhr auf und trainiere dann bis …

9

2.6

a *b, d* und *g* am Wortende. Was hören Sie? Markieren Sie und ergänzen Sie den Tipp im orangen Kasten.

1. Auftra**g**: g oder k	9. Bil**d**: d oder t
2. Aufträ**g**e: g oder k	10. Bil**d**er: d oder t
3. Monta**g**: g oder k	11. Vormitta**g**: g oder k
4. Monta**g**e: g oder k	12. Vormitta**g**e: g oder k
5. Aben**d**: d oder t	13. Lan**d**: d oder t
6. Aben**d**e: d oder t	14. Län**d**er: d oder t
7. Fahrra**d**: d oder t	15. Urlau**b**: b oder p
8. Fahrrä**d**er: d oder t	16. Urlau**b**e: b oder p

***b, d, g* am Wortende**

Man schreibt:	Man spricht:
b	___
d	___
g	___

b Üben Sie zu zweit mit den Wörtern aus 9a. Sprechen Sie ein Wort im Singular. Ihr Partner / Ihre Partnerin nennt den Plural. Beim nächsten Wort wechseln Sie.

2.7

c Hören Sie und sprechen Sie nach.

1. Gi**b** mir bitte das Gel**d**!
2. Alles Gute zum Geburtsta**g**! – Danke, das ist lie**b**!
3. Bal**d** habe ich einen neuen Jo**b**!
4. Blei**b** doch noch un**d** hilf mir.

Generationenprojekte

10 a **Sehen Sie die Bilder an und lesen Sie die Texte. Welche Informationen über das Projekt bekommen Sie?**

Generationenpreis für „Altes Haus“

Das Projekt „Altes Haus“ bekommt in diesem Jahr den Preis „Jung&Alt“ im Wert von 5.000 Euro. Die beiden Leiterinnen, Agnes Viertler (82) und Ina Ölz (26), hatten

Marmeladen wie von Oma

Kurs „Marmeladen einkochen“ am **14. August** im Café „Altes Haus“ mit Agnes Viertler und Rosa Brecht.

Bringen Sie Ihre Früchte

5 Jahre „Altes Haus“

Das wollen wir feiern.
18.10. um 14.00 Uhr
Programm

Wir suchen
Servicekräfte (Aushilfen)
für unser Café

b **Sie hören in Aufgabe 10c eine Reportage über das Projekt. Welche Informationen erwarten Sie? Notieren Sie Fragen.**

Was gibt es in diesem Projekt?
Wer arbeitet da? …

2.8 c **Hören Sie. Zu welchen Fragen haben Sie Informationen bekommen? Vergleichen Sie mit einem Partner / einer Partnerin.**

2.8 d **Hören Sie noch einmal. Beantworten Sie die Fragen.**

1. Was ist „Altes Haus“?
2. Was wollte Frau Ölz lernen?
3. Warum wollte Frau Viertler einen Treffpunkt haben?
4. Wie viele Leute haben schon von den Seniorinnen gelernt?
5. Was hat Agnes Viertler von den jungen Leuten gelernt?
6. Was macht Andreas Kruder?

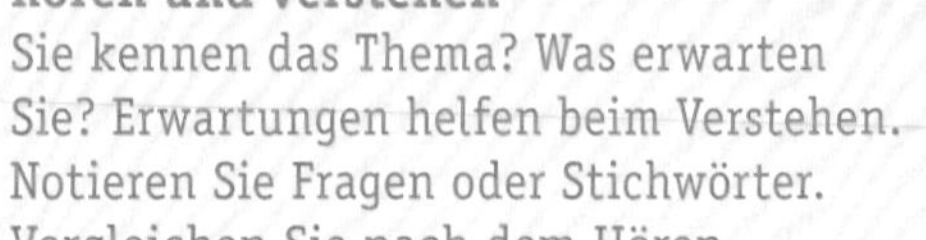

Erwartungen notieren, hören und verstehen
Sie kennen das Thema? Was erwarten Sie? Erwartungen helfen beim Verstehen. Notieren Sie Fragen oder Stichwörter. Vergleichen Sie nach dem Hören mit Ihren Notizen.

e **Was kann man von älteren Leuten noch lernen? Sammeln Sie.**

11 **Recherchieren Sie Informationen zu anderen Generationenprojekten. Berichten Sie im Kurs.**

Wo gibt es das? Was machen die Leute? Was bieten sie an?

12 a Eine Mini-Präsentation. Hören Sie. Was sagt die Person? Richtig oder falsch? Kreuzen Sie an.

2.9

	r	f
1. „Vorleser" ist ein Generationenprojekt für alte und junge Menschen.	☐	☐
2. In diesem Projekt lesen beide Seiten ihre Lieblingsbücher vor.	☐	☐
3. Über das Projekt gibt es eine Reportage im Fernsehen.	☐	☐
4. Die Senioren freuen sich, wenn die Vorleser zu ihnen kommen.	☐	☐

b Ordnen Sie die Ausdrücke für eine Präsentation den Phasen zu.

1. Ich möchte Ihnen/euch ... vorstellen. 2. Ich finde wichtig, dass ... 3. Ich habe das Thema ... gewählt, weil ... 4. Ich fasse kurz zusammen: ... 5. Zum ersten Punkt: ... 6. Mir gefällt besonders, dass ... 7. Vielen Dank. 8. Haben Sie / Habt ihr Fragen? 9. Ich möchte über ... Punkte sprechen: Erstens ... 10. Ich gebe Ihnen/euch ein Beispiel: ... 11. Gibt es noch Fragen?

Phase 1: Kurze Einleitung	Phase 2: Hauptteil	Phase 3: Schluss
Was präsentieren Sie? Warum haben Sie das Thema gewählt?	Machen Sie eine Gliederung in Ihrer Präsentation. Geben Sie ein Beispiel. Was ist Ihre Meinung?	Fassen Sie kurz zusammen. Bedanken Sie sich bei den Zuhörern. Fragen Sie, ob es noch Fragen gibt.
1., ... ______	______	______

13 a Was sollte man bei einer Präsentation beachten? Formulieren Sie Ratschläge.

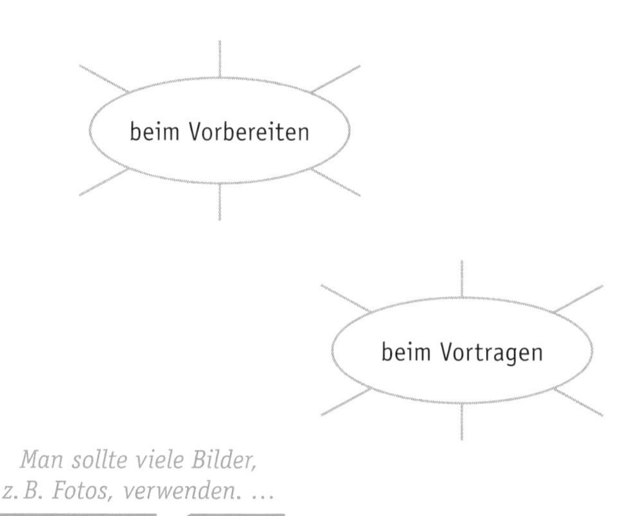

Man sollte viele Bilder, z. B. Fotos, verwenden. ...

Bilder verwenden • die Zuhörer ansehen • die Zuhörer direkt ansprechen • einen interessanten Inhalt wählen • eine Gliederung machen • laut genug sprechen • vor der Präsentation üben • ...

b Machen Sie eine Mini-Präsentation. Wählen Sie ein Thema, das Sie sehr gut kennen.

eine Stadt   ein Beruf   ein Hobby

Eine Präsentation vorbereiten
Lernen Sie wichtige Ausdrücke auswendig.
Verwenden Sie Bilder.
Üben Sie zu Hause (vor dem Spiegel).

Der Film

14 a Ich muss auch üben! Sehen Sie die Fotos an. Was macht Claudia Berg? Worüber sprechen Bea und Ella? Sammeln Sie.

Bea fragt vielleicht, …

Ich glaube, Ella …

b Sehen Sie Szene 14 an. Richtig oder falsch? Kreuzen Sie an.

7.14

	richtig	falsch
1. Ella lernt Französisch und übt mit Bea.	☐	☐
2. Claudia Berg hat einen Kurs für Singen besucht.	☐	☐
3. Claudia Berg besucht bald ein Konzert.	☐	☐
4. Bea möchte ein Konzert von Claudia Berg besuchen.	☐	☐
5. Ella möchte nicht mehr üben.	☐	☐

15 a Ausbildung und Praktikum. Sehen Sie Szene 15. Welche Aussagen stimmen?

7.15

☐ A Hanna Wagner erklärt Iris, was sie im Praktikum machen muss.

☐ B Hanna fragt Iris, was sie in ihrer Ausbildung lernt.

☐ C Iris spricht über ihre Ausbildung als Sprecherin.

☐ D Iris bewirbt sich als Schauspielerin.

b Was muss die Person in der Sprecherausbildung machen? Ordnen Sie die Ausdrücke den Bildern zu.

A das Mikrofon richtig verwenden • B Mimik und Gestik trainieren • C Moderationskarten machen • D Sprechtechnik lernen

c Sehen Sie Szene 15 noch einmal. Was erzählt Iris von ihrer Sprecherausbildung? Was fehlt in 15b?

7.15

d Was denken Sie: Welche Fragen hat Iris? Sammeln Sie zu zweit und spielen Sie ein Vorstellungsgespräch.

Zur Arbeitszeit: Wann … ?

Also, wir arbeiten hier von …

Kurz und klar

Ratschläge geben

Sie sollten wenig Kaffee trinken.
Machen Sie mehr Pausen!
Du kannst auch mit dem Lehrer sprechen.
Sie müssen (unbedingt) einen Zeitplan machen.

etwas begründen

Er sollte weniger Kaffee trinken, denn Kaffee macht nervös.
Mona sollte auch Freizeit einplanen, weil Erholung und Spaß wichtig sind.

über den Alltag sprechen: Zeitangaben

Mein Unterricht dauert bis ein Uhr.
Ich lerne am Abend über zwei Stunden.
Ab Juni kann ich mit dem Arbeiten anfangen.

eine Mini-Präsentation machen

Kurze Einleitung
Ich möchte Ihnen/euch ... vorstellen.
Ich habe das Thema ... gewählt, weil ...

Hauptteil
Ich möchte über drei Punkte sprechen:
Erstens ...
Zum ersten Punkt: ...
Ich gebe Ihnen/euch ein Beispiel: ...
Mir gefällt besonders, dass ...
Ich finde wichtig, dass ...

Schluss
Ich fasse kurz zusammen: ...
Vielen Dank.
Haben Sie / Habt ihr Fragen?

Grammatik

Sätze verbinden: *denn* und *weil*

	Konnektor		Verb	
Er sollte weniger Kaffee trinken,	**denn**	Kaffee	**macht**	nervös.
Er sollte in der Prüfung oft nachfragen,	**denn**	so	**kann**	er Zeit gewinnen.

Denn-Sätze sind Hauptsätze. Das Verb steht auf Position 2.
Weil-Sätze sind Nebensätze. Das Verb steht am Ende: Er sollte weniger Kaffee trinken, **weil** Kaffee nervös **macht**.

Konjunktiv II: sollte (Ratschläge)

	Modalverb		Satzende: Infinitiv
Du	**solltest**	dich	**belohnen.**
Man	**sollte**	auch Freizeit	**einplanen.**
Sie	**sollten**	unbedingt Pausen	**machen.**

ich soll**te**	wir soll**ten**
du soll**test**	ihr soll**tet**
er/es/sie soll**te**	sie/Sie soll**ten**

Genitiv: Name + *-s*

der Beruf von Lina → Linas Beruf
der Arbeitstag von Tom → Toms Arbeitstag
der Tag von Klaus → Klaus' Tag

Apostroph auch bei z und x am Ende:
Max' Tag, Moritz' Tag

Temporale Präpositionen

mit Akkusativ	mit Dativ
bis ein Uhr	**ab** dem ersten Juni
über eine Stunde	**an** manchen Tagen
um zehn Uhr	**seit** vier Jahren
	vor einem Jahr
	nach dem Unterricht

Lernziele

Begeisterung, Hoffnung, Enttäuschung ausdrücken
Fan-Kommentare verstehen und schreiben
Folgen formulieren
Vorschläge machen und reagieren
sich verabreden
einen Bericht über einen Ausflug verstehen
schwierige Texte verstehen
eine Sehenswürdigkeit vorstellen

Grammatik

Sätze verbinden: *deshalb, trotzdem*
Verben mit Dativ und Akkusativ: *schenken, geben, ...*

Sportlich, sportlich!

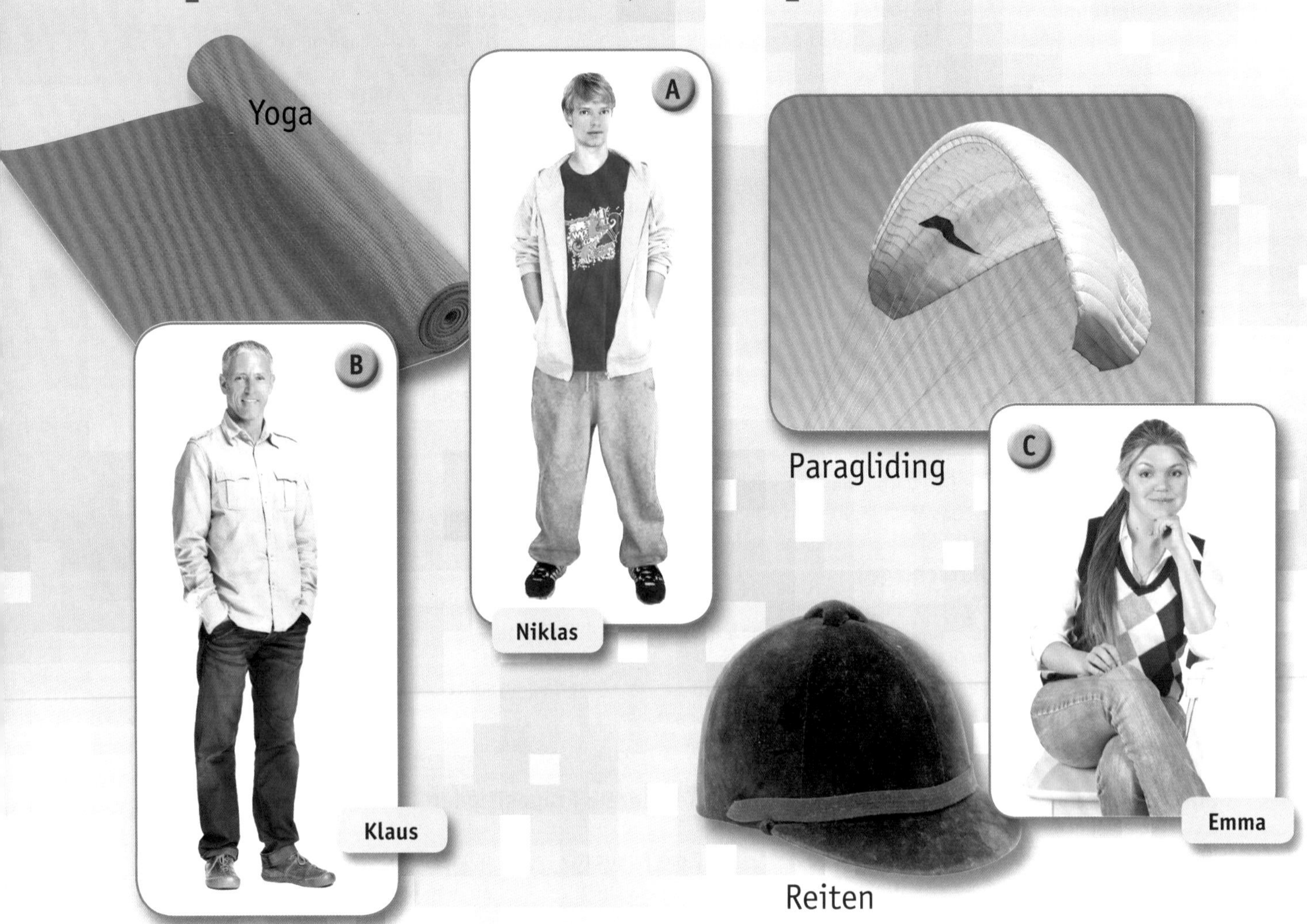

Der Mann auf Bild A macht vielleicht ...

1 **a** **Welchen Sport machen die Personen? Sprechen Sie zu zweit und ordnen Sie zu.**

Wortschatz AB

b **Vergleichen Sie Ihre Lösungen mit einem anderen Team und begründen Sie.**

 2.10–15

c **Die Personen erzählen von ihren Sportarten. Hören Sie. Waren Ihre Vermutungen in 1a richtig?**

d **Welche Sportart finden Sie am interessantesten? Welche haben Sie selbst schon mal gemacht oder möchten Sie gern machen? Erzählen Sie.**

Ich bin auch schon mal im Urlaub getaucht, das finde ich toll.

Paragliding habe ich noch nicht gemacht, aber ich bin schon mal Fallschirm gesprungen.

2

a **Welcher (Sport-)Gegenstand ist typisch für Sie? Notieren Sie und zeichnen Sie.**

b **Sammeln Sie die Zettel ein und verteilen Sie sie neu im Kurs. Wer passt zu dem Gegenstand auf Ihrem Zettel? Gehen Sie in der Klasse herum und suchen Sie die Person.**

c **Stellen Sie Ihre Person im Kurs vor.**

Auf dem Zettel steht „Fotoapparat". Der Zettel ist von Patrizia. Sie fotografiert gern.

Ich bin Fan von ...

3

a Sind Sie ein Fan oder kennen Sie Fans? Was ist typisch für einen Fan? Sammeln Sie in Kleingruppen und vergleichen Sie im Kurs.

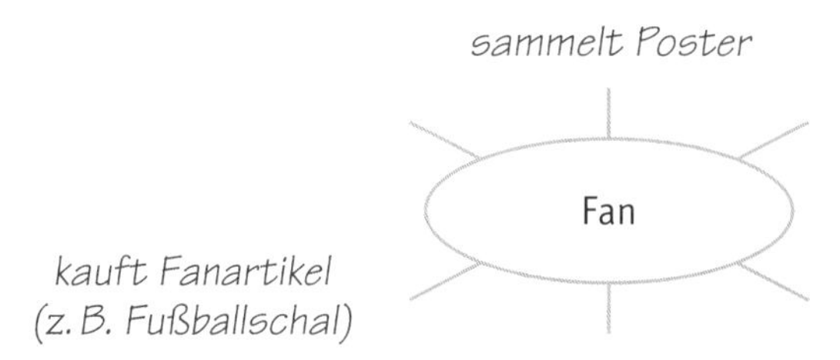

b Arbeiten Sie zu zweit. Jeder wählt ein Foto und beschreibt die Situation. Welches Foto passt? Der Partner / Die Partnerin rät.

Gespräch _____

Gespräch _____

Gespräch _____

In dieser Situation sind die Fußballfans unterwegs. Sie ...

2.16–18

c Hören Sie die Szenen. Welches Gespräch passt zu welchem Foto?

2.19–21

d Hören Sie die Szenen vor, bei und nach dem Fußballspiel. In welchen Szenen hören Sie die Ausdrücke?

Wortschatz AB

Begeisterung ☺	**Hoffnung** 😐	**Enttäuschung** ☹
Das war großartig. _____	Ich hoffe, dass sie heute gewinnen. _____	Das kann doch nicht wahr sein! _____
Wahnsinn! _____	Jetzt sind sie bestimmt wieder in Topform. _____	Da kann man wohl nichts machen. _____
So was Tolles! _____	Das nächste Mal klappt es bestimmt. _____	Ich finde es echt schade! _____

8.16

4

Ihre Lieblingsmannschaft / Ihr Lieblingssportler gewinnt/verliert. Schreiben Sie zu zweit einen Dialog und spielen Sie ihn vor.

Oh nein, der FC Schalke 04 hat heute verloren!

Das kann doch nicht wahr sein!

5

a Die Fanseite von Thomas Müller. Lesen Sie die Kommentare von Fans. Welche Kommentare sind kritisch, welche sind begeistert/positiv? Sprechen Sie im Kurs.

Mike77	Das letzte Spiel war echt super. Du bist noch nicht ganz fit, trotzdem hast du besser gespielt als die anderen. Wir haben nur gewonnen, weil du dabei warst. Danke, Thomas!
Bällchen	Also ich war im Stadion und mir hat es gar nicht gefallen. Alle haben schlecht gespielt, deshalb war das Spiel ziemlich langweilig. Dein Tor war schön, aber Tore sind auch nicht alles.
FC4ever	Ich finde dich super, weil du dich gar nicht wie ein Star benimmst. Du hast schon so viel gewonnen, trotzdem bist du immer so freundlich und nett zu deinen Fans. Mach weiter so!
LeoB	Du spielst großartig, deshalb bist du mein Vorbild. Bleib uns lange treu, ohne dich haben wir keine Chance. Deine Mannschaft und deine Fans brauchen dich.

Sätze verbinden: *deshalb, trotzdem*

Erwartete Folge
Ich spiele gut Tennis. → Ich gewinne oft.
Ich spiele gut Tennis, **deshalb** gewinne ich oft.
Folge/Konsequenz

Nicht erwartete Folge
Ich spiele gut Tennis. ↛ Ich verliere oft.
Ich spiele gut Tennis, **trotzdem** verliere ich oft.
Widerspruch

b Lesen Sie die Kommentare in 5a noch einmal und verbinden Sie die Sätze.

1. Müller war krank,
2. Müller ist sehr sympathisch,
3. Er ist sehr berühmt,
4. Er hat super gespielt,
5. Müller hat ein Tor geschossen,

A trotzdem ist er zu allen nett.
B trotzdem war das Spiel langweilig.
C deshalb hat sein Team gewonnen.
D deshalb hat er viele Fans.
E trotzdem hat er gut gespielt.

c Schreiben Sie Sätze zu den Bildern. Verwenden Sie *deshalb* und *trotzdem*.

1. Es regnet stark, trotzdem geht der Mann joggen.

6

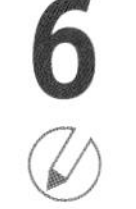

Welche bekannte Person (Sportler, Musiker, ...) finden Sie gut? Schreiben Sie einen Kommentar für die Fanseite. Hängen Sie den Kommentar im Kursraum auf. Lesen Sie die Texte von den anderen und kommentieren Sie diese.

7

2.22

a Unterscheidung von *r* und *l*. Hören Sie zuerst fünf Wörter mit *r* und fünf Wörter mit *l*. Lesen Sie dann laut.

1. reiten 2. rot 3. drei 4. trinken 5. groß
6. lieben 7. Fußball 8. alle 9. schlecht 10. lang

2.23

b Hören Sie Namen von deutschen Stars und ergänzen Sie *r* oder *l*.

1. Ch__istiane Pau__ 3. Phi__ipp __ahm 5. Ti__ Schweiger 7. Jan-Hend__ik Jag__a
2. Ma__ia __iesch 4. Hanne__o__e E__sner 6. Jü__gen K__opp 8. Mo__itz B__eibt__eu

Auf zum Sport!

8

2.24

a Hören Sie das Gespräch. Wer ist Conny, wer ist Sandra?

2.25

Gut gesagt: Sie haben keine Lust.
Ach, ich weiß nicht.
Mir ist nicht nach …
Lass mal überlegen …

2.24

b Hören Sie noch einmal. Was passt zu wem? Kreuzen Sie an.

Conny	Sandra	
☐	☐	… macht viel Sport.
☐	☐	… musste letzte Woche viel arbeiten.
☐	☐	… will seit einem Jahr Sport machen.
☐	☐	… will mit der Freundin zusammen Sport machen.
☐	☐	… weiß nicht, ob sie genug Kondition hat.

2.26

c Hören Sie das Ende vom Gespräch. Welches Foto / Welche Fotos passen zu welcher Frage? Antworten Sie auf die Fragen.

1. Wohin will Conny mit Sandra gehen? Foto ____
2. Was schlägt Sandra vor? Foto ____
3. Wofür entscheiden sich Conny und Sandra? Fotos ____

Conny will mit Sandra in …

A *Kino*

B *Hochseilgarten*

C *Park*

d Vorschläge machen und sich verabreden. Welche Reaktionen sind positiv, welche negativ? Markieren Sie mit ☺ oder ☹.

Vorschläge machen

Darf ich etwas vorschlagen? Wir können …
Ich habe da einen Vorschlag / eine Idee: Wir …
Was denkst du / denken Sie, sollen wir …?
Was hältst du / halten Sie von …?

zustimmen/ablehnen	☺ oder ☹
1. Ich habe keine Lust/Zeit.	____
2. Okay, das machen wir. Einverstanden.	____
3. Leider geht es am Samstag nicht. / Am … kann ich leider nicht.	____
4. Wollen wir nicht lieber …?	____
5. Super, das ist eine (sehr) gute Idee.	____
6. Ja, das passt mir gut. / Ja, da kann ich.	____

8.17

9

Pläne fürs Wochenende. Arbeiten Sie zu zweit. Lesen Sie die Situationen und verwenden Sie Ausdrücke aus 8d. Spielen Sie dann die Situationen und finden Sie eine Lösung.

A Sie haben gerade den Führerschein gemacht und möchten am Wochenende mit Freunden einen Ausflug mit dem Auto machen. Sie haben keine Lust auf Sport.

B Sie möchten sich am Wochenende bewegen und mit Freunden eine Fahrradtour machen oder wandern. Am Samstag müssen Sie arbeiten.

10

a Der Hochseilgarten. Lesen Sie den Eintrag auf Sandras Pinnwand. Was hat sie ausgeliehen? Wie hat es ihr im Hochseilgarten gefallen?

Sandra hat einen Helm und …

Pinnwand Info Fotos +

▼ Neuigkeiten

War am Sonntag im Hochseilgarten – wow, da klettert oder balanciert man in ca. 9 Meter Höhe. Natürlich alles ganz sicher. Ist alles super organisiert:

Die Profis vom Hochseilgarten erklären den Leuten die Regeln sehr gut und sie geben den Besuchern Helme. Conny hat mir eine Sporthose und Sportschuhe mitgebracht ☺.

Ich kann euch den Hochseilgarten nur empfehlen, das macht echt Spaß! Ich möchte gleich wieder hin. Hat jemand von euch Lust? Ich schicke euch gern mehr Infos.

b Markieren Sie diese Verben im Text in 10a. Ergänzen Sie dann die Übersicht.

Verben mit Dativ und Akkusativ

Nominativ: Wer?	Verb	Dativ: Wem?	Akkusativ: Was?
Die Profis	erklären	*den Leuten*	*die Regeln.*
______	geben	______	______
______	bringt	______	______ mit.
______	empfehle	______	______
______	schicke	______	______
		Person	Sache

c Vergleichen Sie mit Ihrer Sprache.

Deutsch	Ich leihe	Sandra/ihr	die Sportschuhe.
Ihre Sprache	______		
Deutsch	Ich leihe	sie	Sandra/ihr.
Ihre Sprache	______		

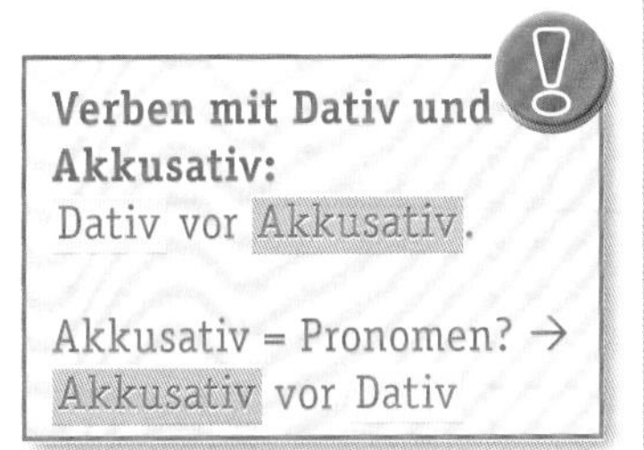

11

Spielen Sie zu dritt. Jeder bekommt sechs Kärtchen. Person A schreibt sechs Verben mit Dativ und Akkusativ (zeigen, schenken, geben, …), Person B sechs Personalpronomen im Dativ (mir, dir, …), Person C sechs Substantive oder Pronomen im Akkusativ (den Stift, das …, ihn, sie …). Machen Sie drei Stapel: Verb, Dativ und Akkusativ. Jeder zieht drei Karten und bildet einen Satz.

Geocaching

Schwierige Texte verstehen
Versuchen Sie es ohne Wörterbuch! Sie müssen nicht jedes Wort verstehen. Konzentrieren Sie sich auf die Wörter, die Sie verstehen. Nutzen Sie auch die Informationen auf Fotos.

12 a „Geocaching – auf der Suche nach dem Schatz". Vermuten Sie oder erklären Sie: Was ist Geocaching?

b Lesen Sie den ersten Absatz über Geocaching. Waren Ihre Vermutungen oder Erklärungen richtig?

Geocaching – auf der Suche nach dem Schatz

Geocaching ist eine Art Schatzsuche mit Hilfe von GPS-Geräten. Jemand versteckt etwas, einen sogenannten Geocache. Dann stellt er die geografischen Koordinaten von dem Versteck ins Internet. Andere Leute suchen dann mit ihrem GPS-Gerät das Versteck.

c Lesen Sie weiter und markieren Sie alle Wörter, die Sie kennen. Entscheiden Sie dann: Welcher Satz fasst den jeweiligen Abschnitt richtig zusammen: A oder B?

Was ist ein Geocache?

Cache kommt aus dem Französischen und ist ein Behälter, zum Beispiel eine wasserdichte Dose. Die Größe ist egal. Er kann sehr klein (eine kleine Dose) oder auch sehr groß sein (z. B. ein Tresor). Wichtig ist, dass die Behälter den Inhalt, nämlich den Schatz, gut schützen. Der Behälter ist also zu, wenn man ihn findet. Meistens sind es Plastikdosen, die auch im Winter bei Minustemperaturen und im Sommer bei Temperaturen bis 35 Grad nicht kaputtgehen.

A Ein Geocache ist sehr oft eine stabile Dose aus Plastik, die Größe ist nicht wichtig.
B Ein Geocache ist eine große Dose, die im Winter nicht kaputtgeht.

Was ist in einem Geocache?

Im Geocache sind immer ein Logbuch und kleine „Schätze", oft zum Tauschen. Wenn man einen Cache findet, darf man etwas herausnehmen und dafür etwas anderes hineinlegen. Diesen Tausch notiert man dann im Logbuch und auf der Internetseite des Caches.

A In einem Geocache sind ein kleines Buch und eine Internetadresse.
B In einem Geocache sind ein kleines Buch und kleine Gegenstände.

Wo findet man Geocaches?

Geocaching ist ein Spaß für Jung und Alt in der Natur – und die Natur ist allen Geocaching-Fans wichtig. Deshalb machen Geocacher die Natur nicht kaputt, das heißt: Sie graben keine Löcher in die Erde und machen keine Pflanzen kaputt. Meistens verstecken sie die Caches in kleinen Höhlen, unter Bäumen, in alten Häusern und so weiter.
Im Internet gibt es Geocache-Seiten. Hier findet man Land-

[A] Geocaches sind oft unter kleinen Pflanzen versteckt. Es gibt viele Bücher mit Landkarten für Geocaching.

[B] Geocaches sind oft in Höhlen, Bäumen oder Häusern versteckt. Online findet man Landkarten mit den Caches.

karten mit allen Geocaches. Zu jedem Cache findet man Informationen über den Weg und das Gelände (Gibt es Berge? Muss man schwierige Wege gehen? ...)

Welche besonderen Geocaches gibt es?

Bei traditionellen Caches findet man im Internet die Koordinaten vom „Schatz" – und schon kann die Suche beginnen. Es gibt aber auch Multicaches. Bei diesen Caches muss man Aufgaben lösen, dann kann man den „Schatz" finden. Oft sind dann die Sehenswürdigkeiten auf dem Weg wichtiger als der Schatz. Das Suchen von einem Cache kann also gleichzeitig eine kleine Stadtbesichtigung oder eine sehr schöne Naturwanderung sein.

[A] Bei Multicaches muss man Aufgaben lösen. Dann bekommt man die nächsten Koordinaten.

[B] Bei Multicaches stehen die Koordinaten im Internet.

13 a Hören Sie den Bericht über Geocaching in Luzern. Über welche Sehenswürdigkeiten spricht die Person? Notieren Sie die Reihenfolge.

2.27

Kapellbrücke am Vierwaldstätter See ______

Museggmauer ______

Kultur- und Kongresszentrum ______

Bahnhof Luzern ______

b Wählen Sie eine Sehenswürdigkeit aus 13a und recherchieren Sie im Internet.

Wann gebaut? Wie teuer? Wofür gebaut? Besonderheiten?

c Bilden Sie Gruppen mit der gleichen Sehenswürdigkeit. Vergleichen und ergänzen Sie in der Gruppe die Informationen. Präsentieren Sie gemeinsam „Ihre" Sehenswürdigkeit mit einem Plakat.

Der Film

14 a Echte Fans. Sehen Sie Szene 16 ohne Ton und beantworten Sie die Fragen.

8.16

- Welche Kleidung tragen Bea und Felix?
- Woher kommen Bea und Felix? Was ist dort passiert?
- Welche Wörter passen zu Bea und Felix?

fröhlich • enttäuscht • begeistert • traurig • glücklich • schlecht gelaunt

b Sehen Sie nun die Szene mit Ton und ordnen Sie den Dialog.

8.16

___ ◆ So ein Abseits sieht doch wohl ein Blinder.
___ ◆ Und jetzt?
___ ◆ Wir müssen unbedingt das nächste Spiel gewinnen!
___ ◇ Erst gibt er uns keinen Elfmeter und dann bekommen die auch noch ein Abseitstor geschenkt!
_1_ ◆ Na, wie war's?
___ ◆ Dabei haben unsere Jungs so gut gespielt. Der Schiri!
___ ◇ Nix war's. 1:2 verloren.
___ ◆ Ja, genau.
___ ◇ Der nicht! Ich habe das Gefühl, der hat die ganze Zeit gegen uns gepfiffen.

(Schiri = Schiedsrichter)

c Verstehen Sie die Wörter „Elfmeter" und „Abseits"? Wenn nicht, benutzen Sie das Wörterbuch. Wie heißen die Wörter in Ihrer Sprache?

d Spielen Sie den Dialog zu dritt.

15 a Verrückt, oder? Sehen Sie Szene 17. Was macht der junge Mann bei seinem Sport? Beschreiben Sie.

8.17

rennen • klettern • laufen • sich drehen • springen

b Wie beschreibt der Mann die Sportart Parkour? Ergänzen Sie den Satz.

Das ist eine Sportart, bei der man den direktesten

______________________________.

c Was wollen Bea und Claudia wissen? Notieren Sie die Fragen. Was antwortet der Mann?

d Welche anderen „neuen" Sportarten kennen Sie? Was macht man da? Erzählen Sie oder machen Sie die typischen Bewegungen vor.

Kurz und klar

Begeisterung ausdrücken
Das war großartig.
Wahnsinn!
So was Tolles!

Enttäuschung ausdrücken
Das kann doch nicht wahr sein!
Da kann man wohl nichts machen.
Ich finde es echt schade!

Hoffnung ausdrücken
Ich hoffe, dass sie heute gewinnen.
Jetzt sind sie bestimmt wieder in Topform.
Das nächste Mal klappt es bestimmt.

Vorschläge machen
Darf ich etwas vorschlagen? Wir können ...
Ich habe da einen Vorschlag / eine Idee:
Wir gehen ...
Was denkst du / denken Sie, sollen wir ...?
Was hältst du / halten Sie von ...?

zustimmen
Okay, das machen wir.
Einverstanden.
Super, das ist eine (sehr) gute Idee.
Ja, das passt mir gut.
Ja, da kann ich.

ablehnen
Ich habe keine Lust/Zeit.
Wollen wir nicht lieber ...?
Leider geht es am Samstag nicht.
Am ... kann ich leider nicht.

Grammatik

Sätze verbinden: *deshalb, trotzdem*

Konsequenz / erwartete Folge

Hauptsatz	Hauptsatz
Ich spiele gut Tennis. →	Ich gewinne oft.

Widerspruch / nicht erwartete Folge

Hauptsatz	Hauptsatz
Ich spiele gut Tennis. ↛	Ich verliere oft.

Hauptsatz	Hauptsatz		
Ich spiele gut Tennis,	**deshalb**	gewinne	**ich** oft.
Ich spiele gut Tennis,	**trotzdem**	verliere	**ich** oft.
	Konnektor	Verb	Subjekt

Verben mit Dativ und Akkusativ

Dativ vor Akkusativ

Nominativ: Wer?	Verb	Dativ: Wem?	Akkusativ: Was?
Die Profis	geben	dem Besucher	einen Helm.
Die Profis	geben	ihm	einen Helm.
Conny	leiht	ihrer Freundin	die Sportschuhe.
Conny	leiht	ihr	die Sportschuhe.
		Person	Sache

Einer Person etwas schenken, erklären, geben, bringen, schicken, zeigen, anbieten, ...

Akkusativ als Pronomen? → Akkusativ vor Dativ

Nominativ: Wer?	Verb	Akkusativ: Was?	Dativ: Wem?
Die Profis	geben	ihn	den Besuchern.
Die Profis	geben	ihn	ihm.
Conny	leiht	sie	der Freundin.
Conny	leiht	sie	ihr.
		Sache	Person

Lernziele

sich beschweren, sich entschuldigen, einlenken
um etwas bitten
Erfahrungsberichte verstehen
über Vergangenes berichten
über Haustiere sprechen
auf Informationen reagieren
eine Geschichte schreiben und korrigieren

Grammatik

Konjunktiv II: *könnte* (höfliche Bitten)
Nebensätze mit *als* und *wenn*

Hallig Südfall (Insel im Wattenmeer) in der Nordsee.
Länge 1,2 km, Breite 620 m, Fläche 0,56 km².
Einwohner: 2

Zusammen leben

Unser Hausboot schaukelt so schön. Die Jahreszeiten sind auf dem Wasser besonders intensiv und die Luft ist immer frisch. Jetzt sind die Bäume am Ufer zum Teil rot. Genial, wenn sich die Wolken und Bäume im Wasser spiegeln!
Cordula Hansson, Kauffrau

Ich habe überlegt: „Was braucht man wirklich?" Eigentlich nicht viel. Im Mikrohaus mit ca. 30 Quadratmetern hat alles Platz, da kann man schön wohnen. Einen Keller braucht man nicht. Und die Terrasse auf dem Dach ist im Sommer das Wohnzimmer.
Sascha Haas, Ingenieur

1 **a** **Sehen Sie die Fotos an. Wo wohnen die Leute? Was gefällt Ihnen am besten, was gefällt Ihnen nicht? Warum?**

Ich finde gut, dass das Haus …

b **Lesen Sie die Texte. Was ist besonders an den verschiedenen Wohnformen?**

Der Bauernhof ist schon sehr alt und es …

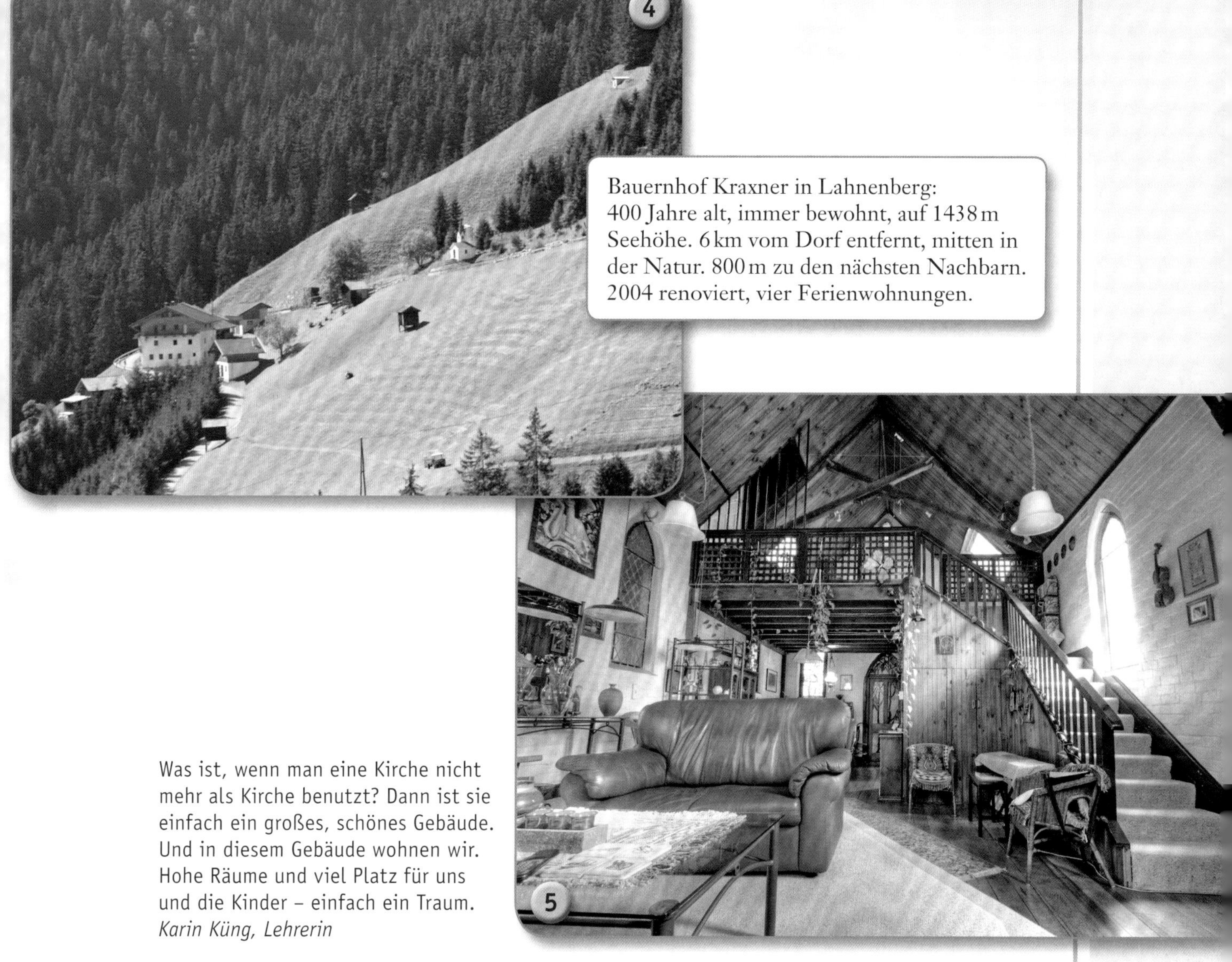

Bauernhof Kraxner in Lahnenberg:
400 Jahre alt, immer bewohnt, auf 1438 m Seehöhe. 6 km vom Dorf entfernt, mitten in der Natur. 800 m zu den nächsten Nachbarn. 2004 renoviert, vier Ferienwohnungen.

Was ist, wenn man eine Kirche nicht mehr als Kirche benutzt? Dann ist sie einfach ein großes, schönes Gebäude. Und in diesem Gebäude wohnen wir. Hohe Räume und viel Platz für uns und die Kinder – einfach ein Traum.
Karin Küng, Lehrerin

2

2.28–32

a Die Meinungen der Bewohner. Hören Sie. Wie ist das Leben an diesen Orten? Notieren Sie.

	Wie ist das Leben da?	Welche anderen Personen sind für die Leute wichtig?
allein auf der Insel		
auf dem Hausboot		
im Mikrohaus am Stadtrand		
auf dem Bauernhof in den Bergen		
in einer alten Kirche		

9.18

b Wo möchten Sie gern wohnen? Erzählen Sie.

Ich möchte in einem Haus am Strand wohnen.

Die lieben Nachbarn?

3

a Lesen Sie. Was ist das Problem?

- Guten Tag, Frau Sammer.
- Hm, Tag. Hören Sie mal, so geht das nicht. Gestern Nacht war …
- Ja, entschuldigen Sie bitte, wir haben eine Prüfung gefeiert.
- Das muss doch nicht so laut sein! Ich konnte die ganze Nacht nicht schlafen.
- Oh, das tut uns leid. Wir haben nicht gemerkt, dass es ein bisschen später geworden ist.
- Ein bisschen später! …

2.33

b Hören Sie das Gespräch. Richtig oder falsch? Kreuzen Sie an.

	richtig	falsch
1. Die Studentinnen haben bis 3.30 Uhr eine laute Party gefeiert.	☐	☐
2. Die Nachbarin hat sich beschwert, aber die Party ist nicht leiser geworden.	☐	☐
3. Die Nachbarin hatte bisher noch nie Probleme mit den Studentinnen.	☐	☐
4. Die Studentinnen laden die Nachbarin zum Kaffee ein.	☐	☐

4

Wortschatz AB

a Konflikte im Haus. Ordnen Sie den Wortschatz zu. Beschreiben Sie die Situationen.

A

B

C

die Haustür • Hund bellt immer • Räder abstellen verboten • stören, auch in der Nacht • grillen • kann nicht schlafen • der Rauch • es stinkt • Eingang muss frei sein

A: die Haustür, …

Auf Bild A stehen …

b Wählen Sie mit einem Partner / einer Partnerin eine Situation aus 4a. Bereiten Sie einen Dialog vor. Spielen Sie das Gespräch.

sich beschweren	**sich entschuldigen**	**einlenken**
Es stört mich, wenn …	Das habe ich nicht gewusst.	Ist ja schon gut.
Ich finde es nicht gut, wenn …	Ich möchte mich entschuldigen.	Schon okay.
Sie können doch nicht …	Das kommt nicht mehr vor.	Na ja, wenn das so ist …
Entschuldigen Sie, können Sie bitte …	Das wollte ich nicht.	Na gut, ist nicht so schlimm.
Das geht wirklich nicht.	Es tut mir schrecklich/sehr leid.	Vergessen wir das.
Sie haben schon wieder …		Das ist schon in Ordnung.

9.19

c Welche Konfliktsituationen mit Nachbarn sind bei Ihnen typisch?

Gute Nachbarschaft

5 a Sehen Sie die Zeichnungen an. Wo sagt die Frau was? Notieren Sie.

1 *Ich erwarte ein Paket. Könnten Sie es bitte für mich annehmen?*

2 *Lena, räum bitte die Spülmaschine aus.*

3 *Kannst du heute den Kleinen abholen?*

A ☐

B ☐

C ☐

b Vergleichen Sie die drei Aussagen. Welche ist besonders höflich?

c Bitten Sie Ihre Nachbarn um einen Gefallen. Notieren Sie zu jeder Situation eine höfliche Bitte.

1. Sie fahren zwei Wochen in Urlaub.
2. Sie wollen etwas kochen/reparieren/... und brauchen etwas.
3. Sie schaffen etwas nicht allein.

ein Päckchen für mich annehmen • den Briefkasten leeren • meine Katze füttern • mir ... leihen • mir ... geben • mir helfen • meine Blumen gießen

1. Könnten Sie bitte meine Katze füttern? Ich fahre bis ...

Konjunktiv II: *könnte* (höfliche Bitte)

du kö**nntest**	Könntest du ...?
ihr kö**nntet**	Könntet ihr ...?
Sie kö**nnten**	Könnten Sie ...?

d Lesen Sie eine Bitte vor. Ein anderer Kursteilnehmer antwortet.

Könnten Sie bitte meine Katze füttern?

Tut mir leid, ich bin auch nicht da.

6 Die höflichen fünf Minuten. Wählen Sie eine Situation (im Unterricht, im Café, beim Ausflug, ...). Formulieren Sie alle Bitten sehr höflich.

Könntest du mir bitte einen Bleistift geben?

Könnten Sie bitte Seite 22 aufschlagen?

Meine erste Woche

7 Wortschatz AB

a Sie möchten in eine andere Stadt umziehen. Was machen Sie alles? Sammeln Sie zu zweit und vergleichen Sie dann im Kurs.

einziehen • sich verabschieden • Umzugswagen bestellen • Sachen packen • sich anmelden • sich abmelden • ein Fest für die Nachbarn machen • …

b Lesen Sie die Mails von Melanie und Vera. Welche Sachen aus 7a haben sie gemacht? Welche Probleme hatten sie?

Von: melanie.widmer@schweiz.ch
An: v.richter@gtx.de
Hallo Vera,
viele Grüße aus Heidelberg – ich finde es toll, dass wir für ein Semester Zimmer tauschen! Ich fühle mich sehr wohl in „deiner Wohnung". Und ich verspreche dir, dass ich auf deine Sachen gut aufpasse.
Als ich noch in Fribourg war, habe ich den Umzug gut vorbereitet – Sachen packen, mich überall verabschieden, meinen Job als Kellnerin kündigen. Und dann bin ich in dein Zimmer in Heidelberg eingezogen. … Als ich mich hier an der Uni anmelden wollte, hat mir ein Zeugnis gefehlt. Zum Glück konnte es meine Mutter faxen und jetzt bin ich offiziell Studentin in Heidelberg!
Heute Abend hatten wir das erste WG-Essen. Endlich, denn bisher haben wir uns kaum gesehen: Immer wenn ich zu Hause war, waren Lena und Noah weg. Es war echt ein netter Abend, wir haben uns lange unterhalten.
Wie läuft es denn bei dir? Hast du noch Fragen?
LG
Melly

Von: v.richter@gtx.de
An: melanie.widmer@schweiz.ch
Hi Melly,
freut mich, dass es dir gut geht! Mir gefällt es hier in Fribourg auch sehr gut. Es ist ja alles etwas kleiner als in Heidelberg. Als ich das erste Mal im Zentrum war, habe ich mich trotzdem verirrt. Aber jetzt kenne ich mich schon gut aus. Und wenn ich Hilfe brauche, dann frage ich die anderen Studenten.
Ich hatte ziemlich viel Stress beim Packen in Heidelberg, weil ich nur einen Tag Zeit hatte. Morgen muss ich mich noch offiziell in Fribourg anmelden. Ich bin schon gespannt, ob ich das auf Französisch oder auf Deutsch machen kann. Wenn ich in Heidelberg Französisch gesprochen habe, konnte ich das nicht gut. Aber jetzt geht es schon viel besser. Und bald bin ich sicher perfekt ☺!
Also "bonne chance"!
Vera

c Lesen Sie die E-Mails noch einmal und verbinden Sie.

1. Als Melly noch in Fribourg war,
2. Melly hat ein Zeugnis gefehlt,
3. Melly hat Lena und Noah kaum gesehen,
4. Wenn Vera Fragen hat,
5. Als Vera das erste Mal in der Stadt war,
6. Wenn Vera Französisch sprechen musste,

A hat sie den Rückweg nicht gefunden.
B helfen ihr die Mitstudenten.
C hatte sie oft Probleme.
D hat sie den Umzug vorbereitet.
E deshalb musste es ihre Mutter faxen.
F weil alle viel unterwegs waren.

8

a *als* oder *wenn*? Lesen Sie die Beispiele im Kasten und kreuzen Sie an.

Nebensätze mit *als* und *wenn*	früher ein Mal	früher oft	jetzt
Als Melly noch in Fribourg war, hat sie alles vorbereitet.	☐	☐	☐
Ihre Sprache:			
(Immer) wenn Melly zu Hause war, war Lena nicht da.	☐	☐	☐
Ihre Sprache:			
Wenn Vera Fragen hat, fragt sie andere Studenten.	☐	☐	☐
Ihre Sprache:			

b Ergänzen Sie die Sätze in Ihrer Sprache in der Tabelle in 8a. Was ist anders, was ist gleich?

c Melly erzählt über ihre Spracherfahrungen. Ergänzen Sie *als* oder *wenn*.

1. ___Als___ ich Schülerin war, habe ich fast nur Französisch gesprochen.
2. ________ ich meine Cousine getroffen habe, haben wir uns meistens auf Deutsch unterhalten.
3. ________ ich 14 Jahre alt war, habe ich am liebsten Comics auf Deutsch gelesen.
4. Aber immer ________ ich traurig war, habe ich französische Musik gehört.
5. Vera und ich hatten immer viel Spaß, ________ sie mich besucht hat.
6. ________ ich das erste Mal in Heidelberg war, hat es mir super gefallen.

Nebensätze mit *als*: einmaliges Ereignis in der Vergangenheit.

d Arbeiten Sie zu dritt und erzählen Sie über sich.

Als ich 14 Jahre alt war, …

Als ich das erste Mal in … war, …

Wenn ich allein zu Hause war, …

Als ich das erste Mal Geld verdient habe, …

Wenn ich meine Oma besucht habe, …

9

Arbeiten Sie in zwei Gruppen. Eine Gruppe sucht nach Informationen über Heidelberg, die andere Gruppe über Fribourg. Machen Sie ein Plakat zu dieser Stadt und präsentieren Sie es der anderen Gruppe.

Einwohner • Lage • Sehenswürdigkeiten • Universität • Spezialitäten • …

10

2.34

a Satzakzent. Hören Sie und markieren Sie: Wo ist der Satzakzent?

1. Melly kommt aus der Schweiz.
2. Vera ist ihre Cousine.
3. Melly und Vera sind Studentinnen.
4. Sie haben ihre Wohnungen getauscht.

2.35

b Hören Sie und markieren Sie Pausen | und Wortgruppenakzente .

1. Melly hat vor einem Monat mit ihrem Studium in Heidelberg begonnen.
2. Sie studiert an der Uni und arbeitet abends in einer Kneipe.
3. Vera hat sich in Fribourg verirrt und musste nach dem Weg fragen.
4. Vera hat vor ihrer Abreise aus Heidelberg schlecht Französisch gesprochen.

c Lesen Sie die Sätze laut und achten Sie auf die Betonung.

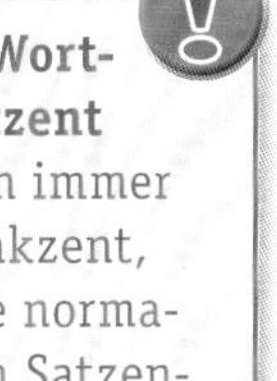

Satz- und Wortgruppenakzent
Sätze haben immer einen Satzakzent, kurze Sätze normalerweise am Satzende. Längere Sätze spricht man mit Pausen. Jede Wortgruppe hat einen Akzent, ebenfalls am Ende.

Die Deutschen und ihre Haustiere

11 a Hören Sie. Was möchte die Frau? Was ist das Problem?

2.36

b Hören Sie noch einmal. Welche Gründe haben die Personen?

Anne: ____________________

Tanja: ____________________

Sven: ____________________

Wortschatz AB **c Und Sie? Nehmen Sie ein Kätzchen? Spielen Sie zu zweit ein Telefongespräch.**

„**-chen**" und „**-lein**" machen alles klein. Diese Wörter sind immer neutrum.

 die Katze  **das** Kätz**chen**

12 a Haustiere. Was vermuten Sie? Sind die Aussagen richtig oder falsch? Kreuzen Sie an und sprechen Sie zu zweit.

	richtig	falsch
1. Es gibt in Deutschland mehr Hunde als Katzen.	☐	☐
2. Auch besondere Haustiere, z. B. Schweine, sind populär.	☐	☐
3. Deutsche geben für Haustiere mehr als drei Milliarden Euro pro Jahr aus.	☐	☐
4. Mehr Männer als Frauen haben Haustiere.	☐	☐
5. Sieben Prozent möchten später ein Haustier kaufen.	☐	☐

Gut gesagt: Kosenamen

Kosenamen für Partner und Kinder sind oft Tiernamen:
Maus, Mausi, Mäuschen
Bär, Bärchen
Hase
Spatz

b Lesen Sie den Text über Haustiere und kontrollieren Sie Ihre Vermutungen aus 12a.

Haustiere sind in Deutschland populär

 Ratte  Fisch  Vogel  Schwein

In jedem sechsten Haushalt in Deutschland leben Haustiere. Am beliebtesten sind Katzen und Hunde. Über 8 Millionen Deutsche haben eine Katze, circa 5 Millionen einen Hund. Aber es gibt auch „modische" Haustiere, zum Beispiel im Moment Schweine oder Ratten. Haustiere machen Spaß, aber sie kosten auch viel Geld und Zeit. Jedes Jahr geben die Deutschen 3,15 Milliarden Euro für Tierarzt, Futter etc. aus. Es gibt verschiedene Gründe, warum die Menschen Haustiere haben: Sie helfen bei Stress, sind immer da und den Menschen treu. Und Kinder lieben sie einfach.

Interessant: Frauen haben häufiger Haustiere als Männer. Nur 7 % Prozent sagen, dass sie ganz sicher kein Haustier wollen. Die anderen können sich ein Haustier vorstellen, wenn ihre Lebenssituation anders ist (größere Wohnung, mehr Zeit).

c Welche Informationen haben Sie überrascht? Was haben Sie schon gewusst? Sprechen Sie zu dritt.

Ich finde interessant, dass ... • Mich hat überrascht, dass ... • Für mich ist neu, dass ... • Das habe ich nicht gewusst. / Ich habe nicht gewusst, dass ... • Das ist bei uns ganz anders. • Das ist bei uns genauso. • Ich habe auch schon gehört, dass ... • Das habe ich schon gewusst.

d Was ist Ihr Lieblingstier? Sprechen Sie im Kurs und machen Sie eine Kursstatistik.

Tiergeschichten

13 a Wählen Sie einen Text: A oder B. Lesen Sie diesen Text. Welche Aussage ist richtig: 1, 2 oder 3?

1 Das Erdhörnchen gehört dem Paar.
2 Das Foto ist eine Fotomontage.
3 Das Erdhörnchen ist zufällig da.

A Ein Paar macht in Kanada Urlaub. Sie möchten ein Foto von sich machen. Sie stellen die Kamera auf einen Stein und setzen sich vor einen See. Der Mann drückt den Selbstauslöser. Ein Erdhörnchen ist neugierig. Das Erdhörnchen springt vor die Kamera und schaut hinein. Die Kamera macht das Foto. Das Paar ist glücklich über dieses Foto.

B Als ein junges Paar Urlaub in Kanada gemacht hat, wollten sie ein Foto von sich machen. Also haben sie ihre Kamera auf einen Stein gestellt und den Selbstauslöser gedrückt. Plötzlich ist ein neugieriges Erdhörnchen vor die Kamera gesprungen und hat hineingeschaut, genau in dem Moment, als die Kamera das Foto gemacht hat. Das Paar freut sich heute noch über dieses besondere Foto.

b Lesen Sie jetzt auch den anderen Text. Vergleichen Sie die beiden Texte mit der Checkliste. Was passt zu Text A, was zu Text B? Welcher Text hat den besseren Stil?

Checkliste „Texte besser schreiben“	Text A	Text B
1. Gibt es Hauptsätze und Nebensätze?		
2. Beginnen die Sätze unterschiedlich?		
3. Gibt es Wörter wie *dann, danach, plötzlich*?		
4. Gibt es häufig Adjektive?		

14 a Wählen Sie ein Foto und schreiben Sie eine Geschichte dazu. Oder kennen Sie eine andere Tiergeschichte?

die Ente • das Küken • der Polizist • die Straße überqueren

der Schwan • verliebt sein in • das Schwan-Boot aus Plastik • der See

b Lesen Sie Ihren Text noch einmal und kontrollieren Sie ihn mit der Checkliste aus 13b. Was können Sie verbessern?

Texte schreiben
Korrigieren Sie Ihren eigenen Text selbst. Lesen Sie Ihren Text kritisch und überlegen Sie: Was können Sie besser machen? Eine Checkliste hilft Ihnen.

Wortschatz AB **c Hängen Sie alle Texte im Kursraum auf und lesen Sie die Texte. Welche Geschichte gefällt Ihnen am besten? Markieren Sie mit einem ☺.**

Der Film

15 a „Suche Wohnung auf dem Land". Zu welcher Person im Film passt das? Was ist typisch für das Leben in einem alten Bauernhaus?

Idyllisches Bauernhaus in der Nähe von München, 3 Zimmer, Küche, Bad, 60 qm Wohnfläche, Garten und Terrasse
----

9.18

b Sehen Sie Szene 18. Warum findet Ella das Bauernhaus gut? Wählen Sie aus.

keine Nachbarn • Tiere • ruhig • schön • viel Platz • nicht weit in die Stadt • eigener Garten

c Spielen Sie zu dritt. Person A sucht eine Wohnung. Person B ist für eine Wohnung auf dem Land, Person C für eine Wohnung in der Stadt. Person B und C notieren Argumente, Person A überlegt, was ihm/ihr wichtig ist. Diskutieren Sie dann gemeinsam.

16 a Der neue Mitbewohner. Sehen Sie Szene 19. Welches Problem hat Iris?

9.19

9.19

b Höflich? Unhöflich? Wie spricht Iris mit ihrem Mitbewohner? Wie spricht Jörg mit Iris? Markieren Sie auf der Skala und vergleichen Sie im Kurs.

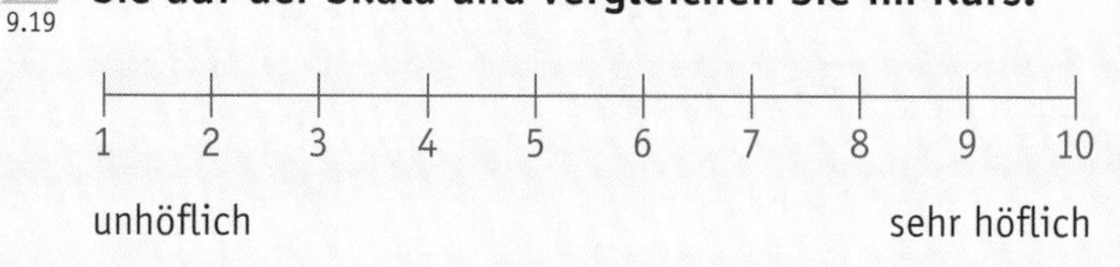

c Wie kann man den Konflikt anders lösen? Schreiben Sie die Sätze von Iris neu.

Iris Jörg! He, Jörg, mach die Musik leiser! Wir verstehen ja unser eigenes Wort nicht mehr!

____

Jörg Iris? Entschuldigung, ich wusste nicht, dass du Besuch hast.

Iris Ob ich Besuch habe oder nicht: Die Musik ist viel zu laut! Du wohnst ja hier nicht alleine! Du könntest ruhig ein bisschen mehr Rücksicht nehmen!

____

____

Jörg Tut mir echt leid, sorry.

Iris Der Typ nervt. ...

____

d Spielen Sie die Situation zuerst mit Ihrem Text aus 16c. Schließen Sie dann das Buch und spielen Sie die Situation frei.

Kurz und klar

sich beschweren

Es stört mich, wenn ...
Ich finde es nicht gut, wenn ...
Sie können doch nicht ...
Entschuldigen Sie, können Sie bitte ...
Das geht wirklich nicht.
Sie haben schon wieder ...

sich entschuldigen

Das habe ich nicht gewusst.
Ich möchte mich entschuldigen.
Das kommt nicht mehr vor.
Das wollte ich nicht.
Es tut mir schrecklich/sehr leid.

einlenken

Ist ja schon gut.
Schon okay.
Na ja, wenn das so ist.
Na gut, ist nicht so schlimm.
Vergessen wir das.
Das ist schon in Ordnung.

jemanden um etwas bitten

Füttere bitte die Katze. • Kannst du bitte die Katze füttern? • Könntest du bitte die Katze füttern? •
Bitte helfen Sie mir. • Können Sie mir bitte helfen? • Könnten Sie mir bitte helfen?

über Vergangenes sprechen

Als Melly 17 war, ist sie noch zur Schule gegangen.
Wenn Melly zur Schule gegangen ist, hat sie immer ihre Freunde getroffen.

auf Informationen reagieren

Ich finde interessant, dass ...
Mich hat überrascht, dass ...
Für mich ist neu, dass ...
Das habe ich nicht gewusst. /
Ich habe nicht gewusst, dass ...

Das ist bei uns ganz anders.
Das ist bei uns genauso.
Ich habe auch schon gehört, dass ...
Das habe ich schon gewusst.

Grammatik

Konjunktiv II von *können*

höfliche Bitten

Könntest	du mir bitte	**helfen**?
Könntet	ihr bitte Seite 22	**aufschlagen**?
Könnten	Sie bitte die Blumen	**gießen**?

Formen

	Präteritum	Konjunktiv II
ich	konnte	könnte
du	konntest	könntest
er/es/sie	konnte	könnte
wir	konnten	könnten
ihr	konntet	könntet
sie/Sie	konnten	könnten

Nebensätze mit *als* und *wenn*

Hauptsatz	Nebensatz			Hauptsatz
Vera freut sich,	**wenn**	Melly sie	**besucht**.	
	(Immer) wenn	Melly zu Hause	**war**,	war Lena nicht da.
Melly war noch in Fribourg,	**als**	sie den Umzug	vorbereitet **hat**.	
	Als	ich 14 Jahre alt	**war**,	bin ich nach Berlin gefahren.

Nebensätze mit *als* verwendet man für einmalige Ereignisse in der Vergangenheit.
Für mehrmalige Ereignisse in der Vergangenheit verwendet man *wenn*.
Im Präsens verwendet man immer *wenn*.

Wiederholungsspiel

1 **Kopf oder Zahl? Spielen Sie zu zweit oder zu viert (zwei Paare).**

Ein Spieler / Ein Paar läuft auf A, der andere / die anderen auf B.

Werfen Sie eine Münze. Kopf? Gehen Sie ein Feld vor.

Zahl? Gehen Sie zwei Felder vor.

Lösen Sie auf Ihrem Feld die Aufgabe. Richtig gelöst? Sie bleiben auf dem Feld, der nächste Spieler / das nächste Paar ist dran.
Falsch gelöst? Gehen Sie ein Feld zurück, der nächste Spieler / das nächste Paar ist dran.

Sie kommen auf ein Glücksfeld:

Richtig gelöst? Gehen Sie zwei Felder vor. Falsch gelöst? Bleiben Sie auf dem Feld.

Wer ist zuerst im Ziel?

1

A: Nennen Sie fünf Verkehrsmittel in der Stadt (mit Artikel und Plural).

B: Wo können Leute wohnen? Nennen Sie fünf Möglichkeiten (mit Artikel und Plural).

2

A: Welche Vorteile gibt es, wenn man mit dem Zug fährt und nicht mit dem Auto? Nennen Sie drei.

B: Sie fahren mit dem Auto. Welche Probleme kann es mit ihrem Auto geben? Nennen Sie drei.

3

A: Indirekte Fragen: Können Sie mir sagen, …
1. warum / nicht / fahren / die S-Bahn
2. in Hamburg / wann / sein / wir

B: Indirekte Fragen: Ich weiß nicht, …
1. einen Parkplatz / wo / finden / ich
2. ich / wie lange / stehen / im Stau

4

A: Erklären Sie den Weg.

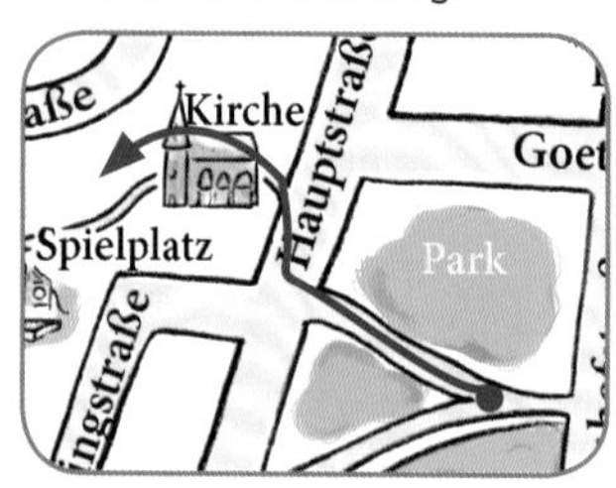

B: Erklären Sie den Weg.

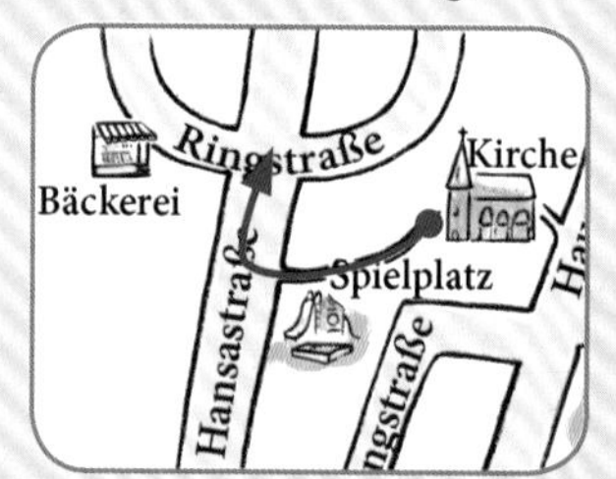

5

A: Fragen am Schalter:
Wissen Sie, …
1. in Nürnberg / umsteigen / müssen
2. der Zug aus Berlin / pünktlich / sein

B: Fragen Sie einen Freund:
Weißt du, …
1. das Navi / auch Baustellen / finden
2. das Navi / die Daten / weitergeben

6

A: Was gibt es in einer Stadt? Nennen Sie die Wörter mit Artikel.
RHAATUS – SPLATZSEIPL – KECHRI

B: Was gibt es in einer Stadt? Nennen Sie die Wörter mit Artikel:
BOHFNAH – TAERETH – KRMAT

7

A: Lena fährt mit dem Fahrrad zur Arbeit. Nennen Sie drei Vorteile.

B: Lena fährt mit dem Fahrrad zur Arbeit. Nennen Sie drei Nachteile.

8

A: Welcher Gegenstand ist für Sie wichtig?
Wählen Sie. Warum?
Nennen Sie drei Gründe.

B: Welcher Gegenstand ist für Sie wichtig?
Wählen Sie. Warum?
Nennen Sie drei Gründe.

19

Wie heißen diese Tiere?
Nennen Sie auch Artikel und Plural.

Wie heißen diese Tiere?
Nennen Sie auch Artikel und Plural.

18

Was denken Sie über Haustiere?
1. Ich finde gut/schlecht, dass ...
2. Ich denke, dass ...

Was denken Sie über Sport?
1. Ich finde gut/schlecht, dass ...
2. Ich denke, dass ...

17

Wenn oder *als*? Ergänzen Sie.
Melly hat auch das Schloss besucht, ... sie in Heidelberg war.
Immer ... Melly in der Schweiz war, hat sie Schokolade gekauft.

Wenn oder *als*? Ergänzen Sie.
Evita hat viele deutsche Filme angesehen, ... sie in Köln studiert hat.
Evita hatte immer Angst, ... sie im Kino Thriller gesehen hat.

16

Formulieren Sie zwei höfliche Bitten:
1. schließen / im Bad / das Fenster
2. mitbringen / mir / die Zeitung

Formulieren Sie zwei höfliche Bitten:
1. am Sonntag / die Blumen / gießen
2. mir / ein Fahrrad / leihen

15

Ihre Nachbarn (zwei Studenten) waren in der Nacht sehr laut. Sie beschweren sich.

Sie haben mit Freunden gefeiert, es war sehr laut. Entschuldigen Sie sich bei den Nachbarn.

14

Sie wohnen in einem Hochhaus mitten in der Stadt. Was sind Vor- und Nachteile? (3 Aussagen)

Sie wohnen in einem kleinen Haus in einem Dorf. Was sind Vor- und Nachteile? (3 Aussagen)

13

Sie haben eine Stadt besucht und sind sehr enttäuscht. Bilden Sie drei Sätze.

Sie haben eine Stadt besucht und sind begeistert. Bilden Sie drei Sätze.

12

Stellen Sie zwei Fragen:
1. mir / erklären / den Weg / Sie / können
2. einen guten Film / empfehlen / uns / du / können

Stellen Sie zwei Fragen:
1. ihr / eine DVD / mitbringen / mir
2. mir / schicken / Sie / eine E-Mail / können

11

Sie wollen am Wochenende an einen See fahren und schwimmen. Verabreden Sie sich mit Ihrem Partner / Ihrer Partnerin.

Sie wollen am Wochenende in ein Konzert gehen. Verabreden Sie sich mit Ihrem Partner / Ihrer Partnerin.

10

Ergänzen Sie den Satz einmal mit *deshalb* und einmal mit *trotzdem*.
Das Wetter war sehr schön, ...

Ergänzen Sie den Satz einmal mit *deshalb* und einmal mit *trotzdem*.
Ich habe heute Nacht nur drei Stunden geschlafen, ...

9

Ihre Lieblingsmannschaft hat gewonnen.
Was sagen Sie? (3 Aussagen)

Ihre Lieblingsmannschaft hat verloren.
Was sagen Sie? (3 Aussagen)

Poesie

2 a Wohnen. Lesen Sie die Gedichte. Wählen Sie jeweils ein Foto, das besonders gut zu dem Gedicht passt. Begründen Sie.

Wie wohnen die Kinder der Erde?

Manches Kind wohnt auf dem Lande,
manches wohnt im zehnten Stock,
manches Kind wohnt nah beim Strande,
manches wohnt im Neubaublock.

Manches wohnt in einem Walde,
manches wohnt am Wüstenrand,
manches bei der Abfallhalde,
manches vor der Bergeswand.

Manches wohnt in einer Kammer,
manches wohnt in einem Schloss,
manches wohnt in Not und Jammer,
manches froh und sorgenlos.

Aber kommst Du mich nun fragen,
wo die beste Wohnung ist,
kann ich's mit vier Worten sagen:
Wo Du glücklich bist!

James Krüss

In jedes Haus, wo Liebe wohnt

In jedes Haus, wo Liebe wohnt,
da scheint hinein auch Sonn' und Mond,
und ist es noch so ärmlich klein,
es kommt der Frühling doch herein.

August Heinrich Hoffmann von Fallersleben

b Lesen Sie die Gedichte noch einmal genauer und klären Sie unbekannte Wörter. Arbeiten Sie auch mit dem Wörterbuch.

c Welches Gedicht gefällt Ihnen besser? Warum? Tragen Sie das Gedicht vor.

3

a Konkrete Poesie. Lesen und hören Sie das Gedicht von Ernst Jandl. Wie heißen die Tiere wirklich? Benutzen Sie ein Wörterbuch und notieren Sie den Singular. Welche Geräusche machen die Tiere? Schreiben Sie die Wörter neben die Bilder.

2.37

auf dem land

Ernst Jandl

rininininininininDER — das Rind
brüllüllüllüllüllüllüllüllEN — brüllen

schweineineineineineineineinE — ______
grunununununununununZEN — ______

hunununununununununDE — ______
bellellellellellellellellEN — ______

katatatatatatatatZEN — ______
miauiauiauiauiauiauiauiauEN — ______

katatatatatatatatER — ______
schnurrurrurrurrurrurrurrurrEN — ______

gänänänänänänänänSE — ______
schnattattattattattattattattERN — ______

ziegiegiegiegiegiegiegiegEN — ______
meckeckeckeckeckeckeckeckERN — ______

bienienienienienienienienEN — ______
summummummummummummummummEN — ______

grillillillillillillillillEN — ______
ziriririririririrPEN — ______

fröschöschöschöschöschöschöschöschE — ______
quakakakakakakakakEN — ______

hummummummummummummummummELN — ______
brummummummummummummummummEN — ______

vögögögögögögögögEL — ______
zwitschitschitschitschitschitschitschitschERN — ______

b Schreiben Sie zu zweit ein ähnliches Gedicht wie Ernst Jandl mit dem Titel „In der Stadt".

4

a Recherchieren Sie Informationen zu James Krüss, August Heinrich Hoffmann von Fallersleben oder Ernst Jandl und stellen Sie den Autor im Kurs vor.

b Kennen Sie andere deutschsprachige Autoren? Erzählen Sie.

Lernziele

über Musikstile sprechen
Konzertkarten kaufen
einen Musiker / eine Band vorstellen
Zeitungsmeldungen verstehen
genauere Informationen zu Personen geben
Informationen über Malerei verstehen
eine Bildbeschreibung verstehen
ein Bild beschreiben

Grammatik

Interrogativartikel *Was für ein(e) ...?*
Pronomen *man/jemand/niemand* und *alles/etwas/nichts*
Relativsätze im Nominativ

1

Gute Unterhaltung!

2

3

A Das meistverkaufte Buch

„Das Parfum" ist 1985 erschienen und war 316 Wochen in den Bestsellerlisten. Aber über den Autor Patrick Süskind weiß man bis heute fast nichts, es gibt keine Interviews und kaum Fotos. Rund 12 Millionen Zuschauer weltweit haben 2006 die Verfilmung im Kino gesehen.

B Ein Schloss wie sein König

Über den bayrischen König Ludwig II. gibt es viele Geschichten. Man sagt, dass er in seinen Träumen und nicht in der Realität gelebt hat. Dazu passt auch das Schloss Neuschwanstein, für viele das bekannteste Gebäude in Deutschland.
König Ludwig II. hat in seinem Schloss, gebaut ab 1869 in der Nähe von Füssen (Bayern), nur 172 Tage gelebt. Jährlich besuchen über eine Million Touristen das Märchenschloss.

1

a Kultur mit Superlativen. Sehen Sie die Fotos an und lesen Sie die Überschriften zu den Texten. Was passt zusammen?

Foto	1	2	3	4	5
Text					

b Lesen Sie die Texte. Arbeiten Sie in Gruppen und formulieren Sie zu jedem Text eine Frage.

Wie lange dauert die Oper „Der Ring des Nibelungen"?

C Viel Geld für einen Film

„Der Schuh des Manitu" von Bully Herbig ist zwar am erfolgreichsten, aber der teuerste deutsche Film ist „Cloud Atlas" von Tom Tykwer mit einem Budget von 100 Millionen Euro. Die Geschichte spielt von 1820 bis 2500 und der Hauptdarsteller Tom Hanks spielt sechs verschiedene Rollen.

D Viele Stunden in der Oper

Die Oper „Der Ring des Nibelungen" von Richard Wagner ist die längste Oper. Wagner hat an seinem Hauptwerk von 1848 bis 1874 gearbeitet. Die Oper dauert 16 Stunden und ist auf vier Tage verteilt. Im Orchester sind über 100 Musiker. Außerdem gibt es 34 Solisten plus einen Männer- und einen Frauenchor mit vielen Sängern.

E Riesenerfolg mit seiner Musik

Herbert Grönemeyer gehört zu den populärsten Musikern in Deutschland. Sein Album „Mensch" hat sich 3,7 Millionen Mal verkauft und ist damit das erfolgreichste Album in der deutschen Musikgeschichte. Grönemeyer hat zahlreiche Preise gewonnen und ist auch für seine Konzerte berühmt.

c Geben Sie Ihre Fragen einer anderen Gruppe. Diese Gruppe schreibt die passenden Antworten. Sie kontrollieren. Welche Gruppe hat alle Fragen richtig beantwortet?

2.38–42

d Hören Sie die Gesprächsausschnitte. Worüber sprechen die Leute? Was sagen sie? Notieren Sie.

1. Schloss Neuschwanstein: interessante Führung, zu voll
2. ...

2

Wortschatz AB

Was gefällt Ihnen besonders gut? Erzählen Sie kurz über einen Film, ein Buch, ein Konzert, ein Gebäude, ...

Was? Wo? Wie? Warum?

10.20

Ich war letztes Jahr in Wien und da habe ich das Schloss Schönbrunn besucht. Es ist ...

Welche Karten nehmen wir?

3

2.43

a Musikstile. Hören Sie das Gespräch und notieren Sie die Reihenfolge.

____ Pop

____ Trip-Hop

____ Jazz

____ Rock

____ Klassik

b Und Ihre Musik? Fragen Sie drei Personen im Kurs.

Was für Musik hören Sie gern unterwegs?
Was für Musik haben Sie auf Ihrem Computer?
Zu was für Konzerten gehen Sie / möchten Sie gehen?

Was für ein(e)?	**Welcher/-es/-e?**
Frage nach Neuem:	Frage nach Bekanntem:
◆ Auf **was für ein** Konzert gehst du?	◆ Auf **welches** Konzert gehst du?
◆ Auf **ein** Rockkonzert.	◆ Auf **das** von Rammstein.

4

Wortschatz AB

2.44

a Der Ticketkauf. Hören Sie das Gespräch. Was ist richtig? Kreuzen Sie an.

1. Zu welchem Konzert möchte Anna-Lena gehen?
   [a] Annett Louisan [b] Tim Bendzko [c] 2raumwohnung
2. Was für Karten möchte sie kaufen?
   [a] Sitzplätze vorne [b] Sitzplätze hinten [c] Stehplätze
3. Wie viel bezahlt Anna-Lena für eine Karte?
   [a] 72 Euro [b] 44 Euro [c] 36 Euro
4. Wie bezahlt sie die Karten?
   [a] bar [b] per Überweisung [c] mit Kreditkarte

b Arbeiten Sie zu zweit. Schreiben Sie Kaufgespräche wie in 4a. Setzen Sie sich mit Ihrem Partner / Ihrer Partnerin Rücken an Rücken. Spielen Sie dann Ihr Telefongespräch.

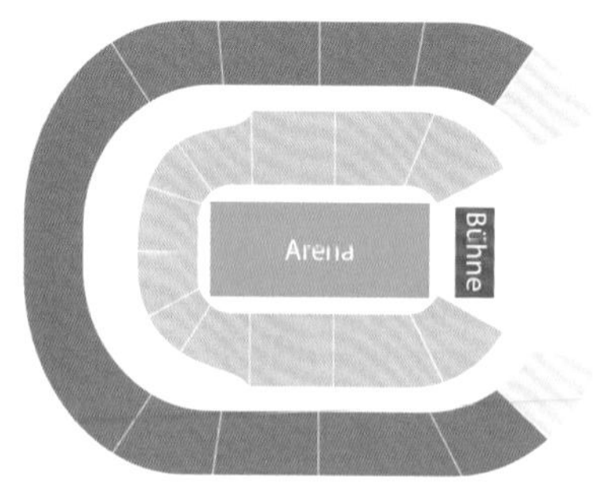

Käufer
Ich hätte gerne Karten für ... / Gibt es noch Karten für ...? / Ich möchte gerne Karten für ... kaufen.
Was für Karten gibt es?
Wie viel kosten die Karten?
Ich nehme bitte ...
Entschuldigung, können Sie den Preis bitte wiederholen?

Verkäufer
Entschuldigung, das habe ich jetzt nicht verstanden. Für welches Konzert bitte?
Ja, da gibt es noch Karten.
Es gibt noch Sitzplätze und Stehplätze.
Die Sitzplätze kosten ... oder ...
Wie möchten Sie bezahlen? / Zahlen Sie bar, mit Kreditkarte oder per Überweisung?

Das Konzert

5

a Sehen Sie die Bilder an. Was ist hier los? Sprechen Sie über die Situationen.

b Welches Bild passt zu welchen Aussagen? Ordnen Sie zu.

A Jemand hat die Flasche kaputt gemacht. 4 • B Flaschen, Schirme usw. – Die Leute müssen alles am Eingang abgeben. ____ • C Niemand will am Eingang warten. ____ • D Der Kontrolleur sucht etwas in Anna-Lenas Rucksack. ____ • E Hier und da tanzt jemand. ____ • F Niemand langweilt sich. ____ • G Da kann man nichts machen, die Flasche und das Buch sind kaputt. ____

c Markieren Sie in 5b die Pronomen *jemand, niemand* und *alles, etwas, nichts*. Lesen Sie dann die Regel und kreuzen Sie an.

Die Pronomen

man, jemand und *niemand* stehen für	☐ Sachen.	☐ Personen.
Alles, etwas/was, nichts stehen für	☐ Sachen.	☐ Personen.
Diese Pronomen stehen immer im	☐ Singular.	☐ Plural.

Endungen bei *niemand/jemand*
Ich habe niemand(en) gesehen. / Ich habe die Karten jemand(em) gegeben. Mit oder ohne Endung: Beides ist richtig.

2.45

Gut gesagt: (et)was
Hast du was? = Geht es dir nicht gut?
Ist was? = Hast du ein Problem? / Ärgert dich etwas?
Ich muss dir mal was sagen. = Ich muss dir etwas / eine wichtige Sache sagen.

d Arbeiten Sie zu zweit. Schreiben Sie passende Sprechblasen zu den Zeichnungen in 5a.

6

Was passt zusammen? Bilden Sie Sätze.

1. Kann mir bitte ...
2. Da ist kein Mensch. Ich habe ...
3. Ich sage jetzt ...
4. Wir können jetzt fahren, wir haben ...
5. Kann ...
6. Hast du ...

alles • etwas • jemand • man • nichts • niemand

... helfen?
... gesehen.
... mehr.
... gesehen.
... hier Tickets kaufen?
... im Rucksack gefunden?

1. Kann mir bitte jemand helfen?

7

Welche (deutschsprachige) Musik hören Sie gern? Bringen Sie Ihre Lieblingsmusik mit und stellen Sie den Musiker / die Band kurz vor. Sie können auch Informationen zu Tim Bendzko, Annett Louisan oder 2raumwohnung recherchieren.

Promi-Geschichten

8 a **Arbeiten Sie zu viert. Jeder wählt einen Text und markiert die wichtigsten Informationen.**

LEUTE

A Radiosprecher verschläft Nachrichten

Die ganze Nacht hat der bekannte Radiosprecher Peter Veit am Bett von seiner zweijährigen Tochter verbracht. Sehr müde ist Veit am nächsten Morgen zur Arbeit gekommen und hat dann im Studio auf seinen Einsatz gewartet. Und die Hörer haben nach der Ansage wie immer auf die Nachrichten gewartet. Aber plötzlich war im Radio zwei Minuten lang Stille. Der Nachrichtensprecher ist eingeschlafen und hat die Nachrichten verpasst!

B Moderatorin mag das Fernsehen nicht

Die Moderatorin Barbara Schöneberger verdient ihr Geld im Fernsehen. Privat interessiert sie sich aber nicht besonders für das Medium, weil sie das Programm zu schlecht findet. Zu Hause auf dem Sofa sitzen und fernsehen – das ist für sie kein schöner Abend. Sie lädt lieber Freunde ein oder geht in ein tolles Berliner Restaurant. Das macht ihr mehr Spaß!

C Panne bei TV-Show

Bei einer Live-Show geht nicht immer alles glatt. Das musste auch die Komikerin Monika Gruber feststellen. Gruber hat extra für die große Show ein neues Stück geschrieben. Weil sie keine Zeit zum Üben hatte, wollte sie Stichworte vom Teleprompter ablesen. Aber der war plötzlich kaputt. Gruber musste vor 11 Millionen Fernseh-Zuschauern ihre peinliche Situation erklären. Nach ein paar langen Minuten ist das Gerät dann wieder gelaufen und Gruber konnte ihre Witze präsentieren. Und das war wie immer lustig.

D Hochzeitstag geht vor

Der Filmregisseur Sönke Wortmann hatte Karten für das Champions-League-Endspiel und ist nicht hingefahren. Eine schwierige Entscheidung für den großen Fußballfan. Am selben Tag war der zehnte Hochzeitstag für ihn und seine Frau und das war dann doch wichtiger. Die Tickets hat er einem guten Freund geschenkt. Wortmann und seine Frau sind in das Dorf gefahren, in dem sie vor zehn Jahren geheiratet haben, und haben dort schön gefeiert.

b **Was ist passiert? Informieren Sie die anderen in der Gruppe über Ihren Text.**

c **Was passt zusammen? Verbinden Sie.**

Hauptsatz		Relativsatz
1. Peter Veit ist der Radiosprecher,	A	die in einer Show ihren Text nicht konnte.
2. Barbara Schöneberger ist die Moderatorin,	B	der Fußball liebt.
3. Monika Gruber ist die Komikerin,	C	die für viele Leute interessant sind.
4. Sönke Wortmann ist der Regisseur,	D	der in der Sendung eingeschlafen ist.
5. In Zeitungen gibt es immer Geschichten über Prominente,	E	die nicht gern fernsieht.

Relativsätze im Nominativ

Peter Veit ist ein Radiosprecher.
Der Radiosprecher ist in der Sendung eingeschlafen.

Peter Veit ist ein Radiosprecher, **der** in der Sendung eingeschlafen **ist**.

Formen Relativpronomen im Nominativ = Formen bestimmter Artikel im Nominativ.

9

a Relativsätze. Ergänzen Sie.

1. Sönke Wortmann ist ein Regisseur. Er hat viele bekannte Filme gemacht. Sönke Wortmann ist ein Regisseur, _der_ viele bekannte Filme gedreht hat.
2. Monika Gruber hat ein neues Stück. Es ist sehr lustig. Monika Gruber hat ein neues Stück, ________ sehr lustig ist.
3. Barbara Schöneberger ist eine Moderatorin. Sie arbeitet für das Fernsehen. Barbara Schöneberger ist eine Moderatorin, ________ für das Fernsehen ____________.
4. Schöneberger und Gruber sind bekannte Personen. Sie arbeiten schon lange in ihrem Beruf. Sie sind bekannte Personen, ______________________________.

b Schreiben Sie Relativsätze zu drei Personen aus dem Kurs und lesen Sie sie vor. Die Personen sagen, ob das richtig ist oder nicht.

Guan ist der Student, der englische Musik liebt.

Stimmt!

c Was passt? Ordnen Sie die Relativsätze zu.

1. Das Finale, ...
2. Die Moderatorin, ...
3. Das Kind, ...
4. Die Techniker, ...
5. Der Regisseur, ...

die das Gerät repariert haben, • der auch Fußballfilme dreht, • das am Samstag stattgefunden hat, • die schon lange in Berlin lebt, • das sehr krank war,

... war seit Wochen ausverkauft.
... geht gern in Restaurants.
... konnte nicht schlafen.
... waren sofort da.
... lebt in Düsseldorf.

Das Finale, das am Samstag ...

Eingeschobene Relativsätze

Der Radiosprecher, **der eingeschlafen ist**, ist bekannt.

10

a Das Prominenten-Quiz. Arbeiten Sie zu zweit. Notieren Sie fünf Quiz-Fragen.

Wie heißt die Sängerin, die ...?
Wer ist der Schauspieler, der ...?
Wie heißt der Sportler, der ...?

das Lied ... singen • ... gewonnen haben • die Hauptrolle in ... spielen • ... moderieren • in ... leben • mit ... verheiratet sein • ...

10.21

b Stellen Sie Ihre Fragen, die anderen raten. Für jede richtige Antwort gibt es einen Punkt. Das Team mit den meisten Punkten gewinnt.

11

2.46

a Rückfragen. Hören Sie und lesen Sie mit.

Wer ist das da drüben? – Das ist Thomas Müller.
Wer ist das? – Thomas Müller. Er wohnt in meiner Straße.
Wo wohnt er? – In meiner Straße. Warum bist du so aufgeregt?
Warum ich aufgeregt bin? Na, der ist doch berühmt!

Bei Rückfragen mit einem W-Wort wird das W-Wort stark betont.

b Schreiben Sie zu zweit einen ähnlichen Dialog und spielen Sie ihn vor.

Malerei gestern und heute

12 a Welche interessante Ausstellung oder welches Museum haben Sie schon besucht? Erzählen Sie.

2.47

b Hören Sie den Audioguide zu einer Ausstellung über Tierbilder. Sie hören die Einführung. Was ist richtig? Ordnen Sie zu.

1. Maler haben
2. Vor dem 19. Jahrhundert haben die Maler
3. Im 19. Jahrhundert
4. Im 20. Jahrhundert beginnt
5. Im 21. Jahrhundert gibt es viele Bilder

A die moderne Tiermalerei. Die Bilder sind kreativ und oft bunt.
B schon immer Interesse an Tieren gehabt.
C von Tieren, die ähnliche Dinge tun wie Menschen (z. B. fernsehen, tauchen, ...).
D wollten viele Menschen Tierbilder kaufen, weil sie noch keine Fotos machen konnten.
E Tiere nicht direkt abgemalt, sondern aus der Erinnerung gemalt.

Wildschweine
Franz Marc, 1913

Feldhase
Albrecht Dürer, 1502

Tauchende Kuh
M. Loomit Köhler, 2011

c Welches Bild gefällt Ihnen am besten? Welches gefällt Ihnen nicht? Warum?

bunt • lustig • natürlich aussehen • exakt/realistisch/abstrakt/originell/... gemalt • schöne Farben • tolle/verrückte Idee • gut gemacht • kreativ • dumm • komisch • langweilig • ...

13 a Bildbeschreibung. Arbeiten Sie zu zweit. A liest den Text laut, B deutet auf die passende Stelle im Bild in Aufgabe 12b.

Auf dem Bild mit dem Titel „Wildschweine" von Franz Marc sieht man zwei Wildschweine. Die Tiere sind in der Mitte und liegen – vielleicht schlafen sie. Die Köpfe sind rechts, einer ist oben rechts in der Ecke, die Füße sind unten in der Mitte. Unten auf dem Bild sind Blätter und Blumen. Die Tiere haben interessante Farben. Ein Wildschwein ist blau, das andere rot mit blauen Ohren. Das blaue Schwein liegt in der Mitte, das andere dahinter. Im Vordergrund ist eine gelbe Blume. Die Farben auf dem Bild sind dunkel und intensiv.

b Welches Bild möchten Sie beschreiben? Suchen Sie zu zweit ein Bild im Internet oder wählen Sie eines aus Aufgabe 12. Beschreiben Sie beide das gleiche Bild schriftlich. Die folgende Abbildung hilft.

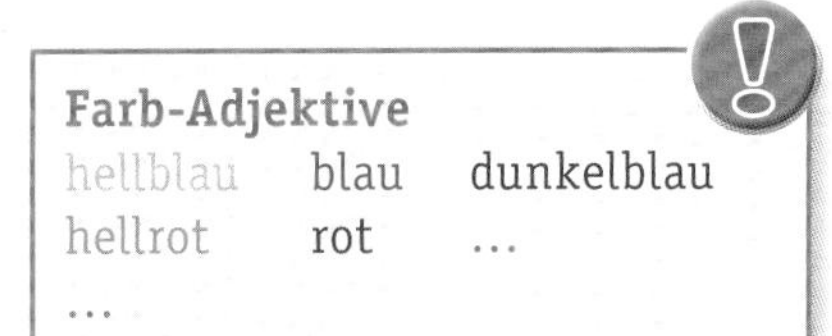
Farb-Adjektive

hellblau	blau	dunkelblau
hellrot	rot	…
…		

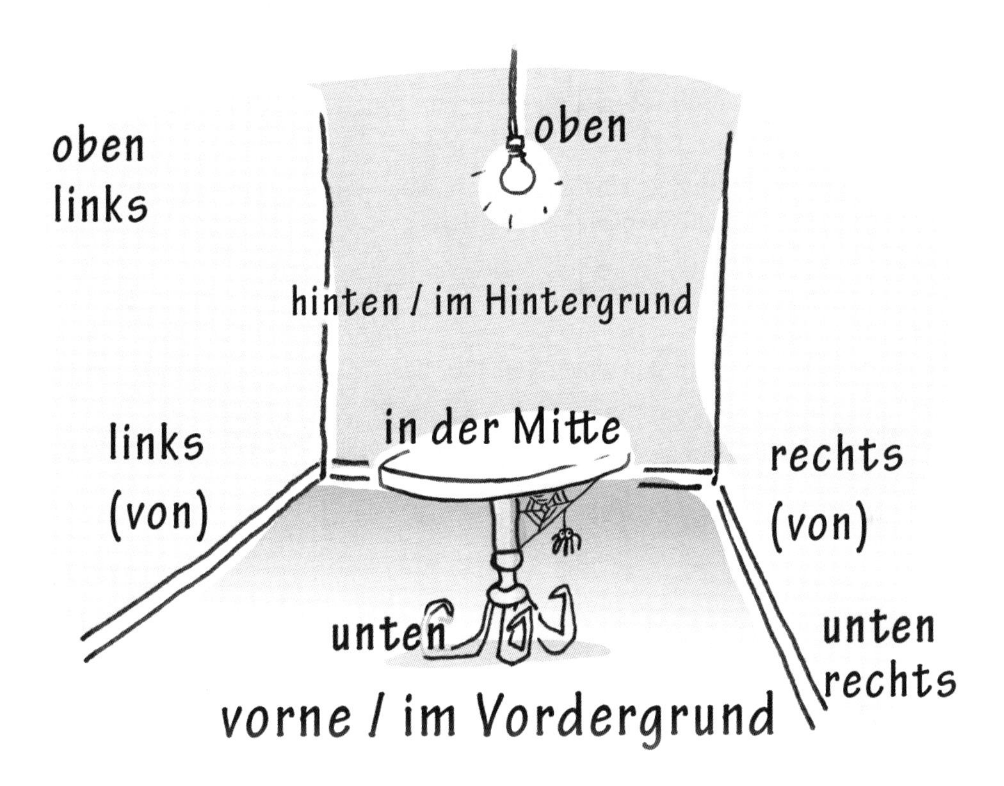

Ein Bild beschreiben
- Sagen Sie, von wem das Bild ist und was es zeigt.
- Erklären Sie das Bild: Was ist wo? *In der Mitte ist … Im Vordergrund … Im Hintergrund … Oben/Unten/Rechts/Links … In der Ecke …*
- Welche Farben sehen Sie?
- Was gefällt Ihnen besonders gut / nicht gut? Was fällt Ihnen auf?

Das Bild „Die tauchende Kuh" ist ein Graffito von … In der Mitte sieht man …

c Vergleichen Sie Ihre beiden Beschreibungen. Was ist besonders gut? Was fehlt? Formulieren Sie dann gemeinsam eine „perfekte" Bildbeschreibung.

Der Film

14 a **Hinter der Kulisse. Sehen Sie die Fotos in Aufgabe 14b an. Wie ist Iris verkleidet? In welchem Film spielt sie vielleicht eine Rolle? Vermuten Sie.**

b **Was antwortet Bea? Vermuten Sie und spielen Sie die Situation zu zweit.**

Und, wie sehe ich aus?

…

10.20 **c** **Sehen Sie nun Szene 20. Vergleichen Sie mit Ihrem Dialog.**

10.20 **d** **Sehen Sie die Szene noch einmal. Was erzählt die Maskenbildnerin über ihren Beruf? Finden Sie Antworten auf die Fragen. Vergleichen Sie dann mit Ihrem Partner / Ihrer Partnerin.**

Für wen arbeitet sie? Macht ihr die Arbeit Spaß? Warum (nicht)?

15 a **Kamera läuft! Sehen Sie Szene 21. Warum ist Ella nervös? Warum lacht sie am Schluss?**

10.21 **b** **Sehen Sie Szene 21 noch einmal. Was steht wo? Orden Sie zu.**

Drehbuch		Drehplan
	1. Drehtag →	
	2. Regieanweisungen (Informationen, was die Schauspieler machen sollen)	
	3. Uhrzeit (wann alle am Set sein müssen)	
	4. Drehorte (Locations)	
	5. Texte für Schauspieler	
	6. welche Schauspieler	
	7. Requisiten	

c **Ein Film von Ihnen. Arbeiten Sie in Kleingruppen. Lesen Sie die Situationen und wählen Sie gemeinsam eine Situation aus. Schreiben Sie dann Dialoge und Informationen für die Schauspieler. Finden Sie auch ein Ende für die Geschichte. Drehen Sie dann (mit einem Handy) Ihren Kurzfilm.**

Die Feier im Sprachkurs
Letzte Woche war das Sommerfest im Sprachkurs. Wir haben gut gegessen und getrunken und wir haben ein kleines Theaterstück vorgespielt. Alles war sehr lustig. Aber dann …

Im Supermarkt
Sie kaufen ein und haben einen vollen Einkaufswagen. Sie holen noch schnell etwas, da ist Ihr Einkaufswagen nicht mehr da …

An der Haltestelle
Sie sind spät dran, der Bus kommt gerade, Sie laufen so schnell Sie können. Jemand sieht Sie und will helfen, er stellt sich in die Bustür, aber …

Kurz und klar

Karten für eine Veranstaltung kaufen

Käufer
Ich hätte gerne Karten für … / Gibt es noch Karten für … ? / Ich möchte gerne Karten für … kaufen.
Was für Karten gibt es?
Wie viel kosten die Karten?
Ich nehme bitte …

Verkäufer
Für welches Konzert bitte?
Ja, da gibt es noch Karten.
Es gibt noch Sitzplätze und Stehplätze.
Die Sitzplätze kosten … oder …
Wie möchten Sie bezahlen? / Zahlen Sie bar, mit Kreditkarte oder per Überweisung?

nachfragen

Entschuldigung, können Sie den Preis bitte wiederholen?
Entschuldigung, das habe ich jetzt nicht verstanden.

genauere Informationen geben

Sönke Wortmann ist ein Regisseur, der Fußball liebt.
Die Komikerin, die in einer Show ihren Text nicht konnte, heißt Monika Gruber.

ein Bild beschreiben

Auf dem Bild mit dem Titel … von … sieht man … • Unten (links/rechts) / Oben (links/rechts) / Im Vordergrund / Im Hintergrund / In der Mitte / In der Ecke … sieht/erkennt man / ist/sind … • … ist blau/rot/…/hell/dunkel/groß/klein/…

Grammatik

Interrogativartikel *Was für ein(e) …?* und *Welche(r) …?*

Was für ein(e) …?
Frage nach Neuem:
◇ Auf **was für ein** Konzert gehst du?
◆ Auf **ein** Rockkonzert.

Welcher/-es/-e …?
Frage nach Bekanntem:
◇ Auf **welches** Konzert gehst du?
◆ Auf **das** von Rammstein.

Pronomen *man, jemand, niemand* und *alles, etwas, nichts*

Man, ***jemand*** und ***niemand*** stehen für Personen.
Hier ist niemand. Jemand tanzt. Man kann mit Kreditkarte bezahlen.
Alles, ***etwas***, ***nichts*** steht für Sachen.
Haben wir alles? Siehst du etwas? Hier ist nichts.
Diese Pronomen stehen immer im Singular.

Endungen bei *niemand* und *jemand*

Ich habe niemand(en) gesehen. / Ich habe die Karten jemand(em) gegeben.
Mit oder ohne Endung: Beides ist richtig.

Relativsätze im Nominativ

Peter Veit ist ein Radiosprecher. **Der** Radiosprecher ist in der Sendung eingeschlafen.

Peter Veit ist ein Radiosprecher, **der** in der Sendung eingeschlafen **ist**.

Der Radiosprecher ist bekannt. Der Radiosprecher ist in der Sendung eingeschlafen.

Der Radiosprecher, **der** in der Sendung eingeschlafen **ist**, ist bekannt.

Relativpronomen im Nominativ

maskulin	Das ist der Mann,	**der** Fußball liebt.
neutrum	Das ist das Kind,	**das** krank war.
feminin	Das ist die Frau,	**die** beim Fernsehen arbeitet.
Plural	Das sind die Leute,	**die** sehr bekannt sind.

Formen Relativpronomen im Nominativ = Formen bestimmter Artikel im Nominativ.

Lernziele

über Wünsche sprechen
Wünsche äußern
Ratschläge geben
ein Gespräch verstehen
gemeinsam etwas planen
andere etwas fragen
einen Text verstehen
Informationen austauschen
über Sprichwörter sprechen
eine Geschichte schreiben

Grammatik

Konjunktiv II (Wünsche, Ratschläge)
Verben mit Präposition
W-Fragen mit Präposition: *Auf wen? Worauf? ...*

30 Jahre

22 Jahre

Wie die Zeit vergeht!

16 Jahre

1 Jahr

10 Jahre

1 Wortschatz AB

a Sehen Sie die Zeichnungen an. Beschreiben Sie das Leben von Rudi Wagner.

zur Arbeit gehen • mit Freunden zusammen sein • viel Freizeit haben • mit Freunden tanzen gehen • die Welt kennenlernen • sich beruflich engagieren • das Leben genießen • eine Familie gründen • ein Haus bauen • ...

Mit einem Jahr hat Rudi Wagner meistens gespielt oder geschlafen. Als er zehn war, ist er ...

2.48
Wortschatz
AB

b **Rudi erzählt seiner Enkelin über sein Leben. Was hat er wann gern gemacht? Notieren Sie jeweils ein Stichwort und vergleichen Sie im Kurs.**

Mit 10 Jahren: ____________________ Mit 35 Jahren: ____________________
Mit 16 Jahren: ____________________ Mit 47 Jahren: ____________________
Mit 22 Jahren: ____________________ Mit 69 Jahren: ____________________
Mit 30 Jahren: ____________________ Jetzt: ____________________

2

a **Welche Aktivitäten sind Ihrer Meinung nach typisch für diese Phasen? Notieren Sie.**

Schulzeit	Ausbildung/ Studium	im Beruf, ohne Familie	als Vater/Mutter	als Rentner/ Rentnerin
Hausaufgaben machen	*in der Bibliothek lernen*			
Zeit mit Freunden verbringen				

b **Vergleichen Sie zu viert. Sind Ihre Ergebnisse ähnlich oder ganz anders? Sprechen Sie über Ihre Lebensphasen.**

c **Womit verbringen Sie die meiste Zeit: unter der Woche und am Wochenende? Machen Sie Notizen und sprechen Sie dann zu zweit.**

Von Montag bis Freitag arbeite ich jeden Tag circa 9 Stunden. Am Abend bin ich meistens zu Hause.

Ich hätte gern mehr Zeit!

3 a **Hören Sie. Was machen die Personen beruflich? Warum haben sie so wenig Zeit? Notieren Sie.**

2.49

Sonja Müller

Berufliche Aktivitäten? ______________

Warum wenig Zeit? *arbeitet oft nachts / am Wochenende, 3 Kinder*

Oliver Holzmann

Berufliche Aktivitäten? ______________

Warum wenig Zeit? ______________

Saskia Lorenz

Berufliche Aktivitäten? ______________

Warum wenig Zeit? ______________

2.49

b **Würde – wäre – hätte. Hören Sie noch einmal. Wer hat diesen Wunsch?**

Sonja Müller würde gern …

1. … wäre gern mehr mit der Familie zusammen.
2. … würde gern öfter Freunde treffen.
3. … würde gern mal wieder ins Kino gehen.
4. … würde gern mehr lesen.
5. … hätte gern einen Hund.
6. … würde gern mehr Sport machen.

In **Wünschen mit Konjunktiv II** verwendet man „gern".
Ich hätte gern mehr Zeit.

4 a **Was wünschen sich die Leute? Arbeiten Sie zu zweit. Jeder liest eine Statistik. Stellen Sie sich gegenseitig Fragen und ergänzen Sie Ihre Statistik.**

Wie viel Prozent würden gern mehr mit Familie und Freunden unternehmen?

Konjunktiv II: Formen

	haben	sein	andere Verben
ich	hätte	wäre	**würde** lesen
er/es/sie	hätte	wäre	**würde** schlafen
sie	hätten	wären	**würden** besuchen

A Mehr Zeit – und dann?

Wünsche von Deutschen (Alter: 18–65 Jahre):

mehr mit Familie/Freunden unternehmen	______
mehr Zeit für Hobbys haben	72 %
mehr Sport machen	______
mehr schlafen	39 %
mehr in der Natur sein	______
mehr reisen	57 %

B Mehr Zeit – und dann?

Wünsche von Deutschen (Alter: 18–65 Jahre):

mehr mit Familie/Freunden unternehmen	80 %
mehr Zeit für Hobbys haben	______
mehr Sport machen	52 %
mehr schlafen	______
mehr in der Natur sein	20 %
mehr reisen	______

11.22

b **Und Sie? Notieren Sie drei Wünsche mit Konjunktiv II auf einem Zettel. Der Lehrer / Die Lehrerin sammelt alle Zettel ein, mischt sie und teilt sie wieder aus. Gehen Sie durch den Kursraum. Suchen Sie die Person, die Ihren Zettel geschrieben hat.**

Ich würde gern tanzen gehen.

Würdest du gern öfter tanzen gehen?

c Wie bildet man den Konjunktiv II? Vergleichen Sie mit Ihrer Sprache.

Deutsch	Ihre Sprache
Ich **würde** gern weniger **arbeiten**.	
Tom **hätte** gern mehr Zeit!	
Wir **wären** jetzt gern im Urlaub!	

So ein Stress!

5

a Lesen Sie den Forumsbeitrag. Wer oder was macht Tobias Probleme? Notieren Sie jeweils ein Stichwort rechts neben dem Text.

Tobias2020 Ich habe überhaupt keine Zeit. Das geht schon morgens los. Mein Büro ist gar nicht so weit weg, aber jeden Morgen stehe ich mit meinem Auto im Stau. Im Büro geht es dann weiter. Meine Kollegin erzählt und erzählt und ich kann nicht richtig arbeiten. Eigentlich kann ich um fünf Uhr nach Hause gehen. Aber fast jeden Nachmittag um halb fünf kommt mein Chef mit einer „wichtigen" Aufgabe, die ich sofort erledigen muss. Also bin ich meistens bis sieben Uhr im Büro oder noch länger. Zu Hause will ich dann nur auf dem Sofa liegen und fernsehen, aber ständig klingelt das Telefon. Da kann ich mich auch nicht ausruhen. Und meine Freundin ist auch schon sauer, weil ich so wenig Zeit habe, und deshalb streiten wir oft.

Probleme

Stau ______

______

______

______

______

b Ratschläge. Welcher Ratschlag passt zu welchem Problem? Schreiben Sie die Nummern 1 bis 4 zu den Problemen in 5a.

1. Ich würde mit meinem Chef über die Situation sprechen.
2. Du könntest deiner Kollegin sagen, dass ihr in der Mittagspause reden könnt.
3. Du solltest am Abend das Telefon ausschalten, wenn du dich entspannen willst.
4. An deiner Stelle würde ich mit dem Fahrrad zur Arbeit fahren.

Konjunktiv II: Verwendung
höfliche Bitte: **Könntest** du mir helfen?
Wunsch: Ich **wäre gern** zu Hause.
Ratschlag: Ich **würde** mit meinem Chef **sprechen**.

c Schreiben Sie weitere Ratschläge zu den Problemen von Tobias.

Ich würde …
Du könntest …
An deiner Stelle würde ich …
Du solltest …

mit der Freundin sprechen • nicht fernsehen • sich am Wochenende ausruhen • zu Fuß zur Arbeit gehen • am Abend spazieren gehen • Sport machen • …

11.23

6

Und Sie? Arbeiten Sie zu fünft. Jeder schreibt ein Problem auf ein Papier. Die anderen schreiben jeweils einen Ratschlag dazu. Welcher Ratschlag gefällt Ihnen am besten?

Der Kajak-Ausflug

7 2.50

a Hören Sie das Gespräch. Was planen die Personen? Wer macht was oder hat was gemacht? Kreuzen Sie an.

	Thilo	Linda	Mereth
Tickets kaufen	☐	☐	☐
Kajaks reservieren	☐	☐	☐
Brot mitbringen	☐	☐	☐
einen Kuchen backen	☐	☐	☐
eine Kamera mitnehmen	☐	☐	☐

2.50

b Was gehört zusammen? Hören Sie noch einmal und verbinden Sie die Satzteile. Kontrollieren Sie mit Ihrem Partner / Ihrer Partnerin.

1. Thilo kümmert sich
2. Mereth erinnert sich
3. Mereth wartet nicht gern
4. Mereth spricht
5. Linda freut sich
6. Markus bereitet sich

A an den letzten Ausflug.
B auf den Ausflug.
C auf die Prüfung vor.
D auf Thilo.
E um die Tickets.
F mit Ben.

> ! Viele **Verben** verwendet man **mit einer Präposition**. Lernen Sie die Verben immer mit Präposition, am besten mit einem Satz: *warten auf* + Akk.: *Ich warte auf dich.*

c Notieren Sie die passende Präposition für die Verben aus 7b.

sich erinnern ______, sich freuen ______, sich vorbereiten ______,

sich kümmern ______, warten ______, sprechen ______

Verben mit Präposition

Wir **freuen** uns **auf** den Ausflug.	(+ Akk.)
Er **denkt an** uns.	(+ Akk.)
Sie **spricht mit** ihrem Freund.	(+ Dat.)

d Arbeiten Sie zu dritt. Schreiben Sie sechs Sätze mit den Verben aus 7c auf Zettel. Schneiden Sie die Sätze vor der Präposition in zwei Teile. Mischen Sie alle Satzhälften und geben Sie die Zettel einer anderen Gruppe. Bilden Sie Sätze.

Ich warte vor dem Kino | *auf meine Freunde.*

8

a Planen Sie zu zweit einen Ausflug / eine Party / … Markieren Sie pro Kategorie zwei Ausdrücke, die Sie verwenden wollen. Schreiben Sie einen Dialog.

einen Vorschlag machen / um etwas bitten
Wir könnten …
Wollen wir …?
Könntest du …?
Denkst du an …?
Würdest du bitte …?

einen Gegenvorschlag machen / nachfragen
Wollen wir nicht lieber …?
Was für einen/ein/eine … gibt es?
Geht das bei dir?
Was hältst du davon? Wir …
Einverstanden?

zustimmen
Klar, gern.
Ich finde, … ist gut/prima.
Von mir aus gern.
Aber sicher.
Ja, das wäre super.
Da hast du recht.

ablehnen
Nein, das ist nicht so praktisch/gut/…
Ich habe keine Lust.
Nein, das schaffe ich nicht.
Ne, lieber nicht.

b Spielen Sie Ihren Dialog im Kurs vor.

9

Wortschatz AB

a Markus und Mereth chatten. Was ist mit Markus los?

Markus: Hi, alles klar auf der Kajaktour?
Mereth: Alles bestens – wir machen gerade Pause! Wetter ein Traum, Stimmung toll, Essen lecker.
Markus: Ich habe gerade mit Tom gesprochen. Und ich ärgere mich total!
Mereth: Worüber denn?
Markus: Über die Prüfung – verschoben!
Mereth: Oh nein! Aber macht nichts. Ich warte!
Markus: Worauf?
Mereth: Nicht worauf – auf wen! Ich warte auf dich natürlich.
Markus: Du wartest auf mich? Ich freue mich!
Mereth: Worauf?
Markus: Ich freue mich auf den Ausflug und auf …
Mereth: Auf wen? Auf mich hoffentlich?
Markus: Natürlich auf dich!
Mereth: … Na, dann komm schnell!

b Markieren Sie im Chat in 9a die Fragewörter. Kreuzen Sie dann im Kasten die Regeln an.

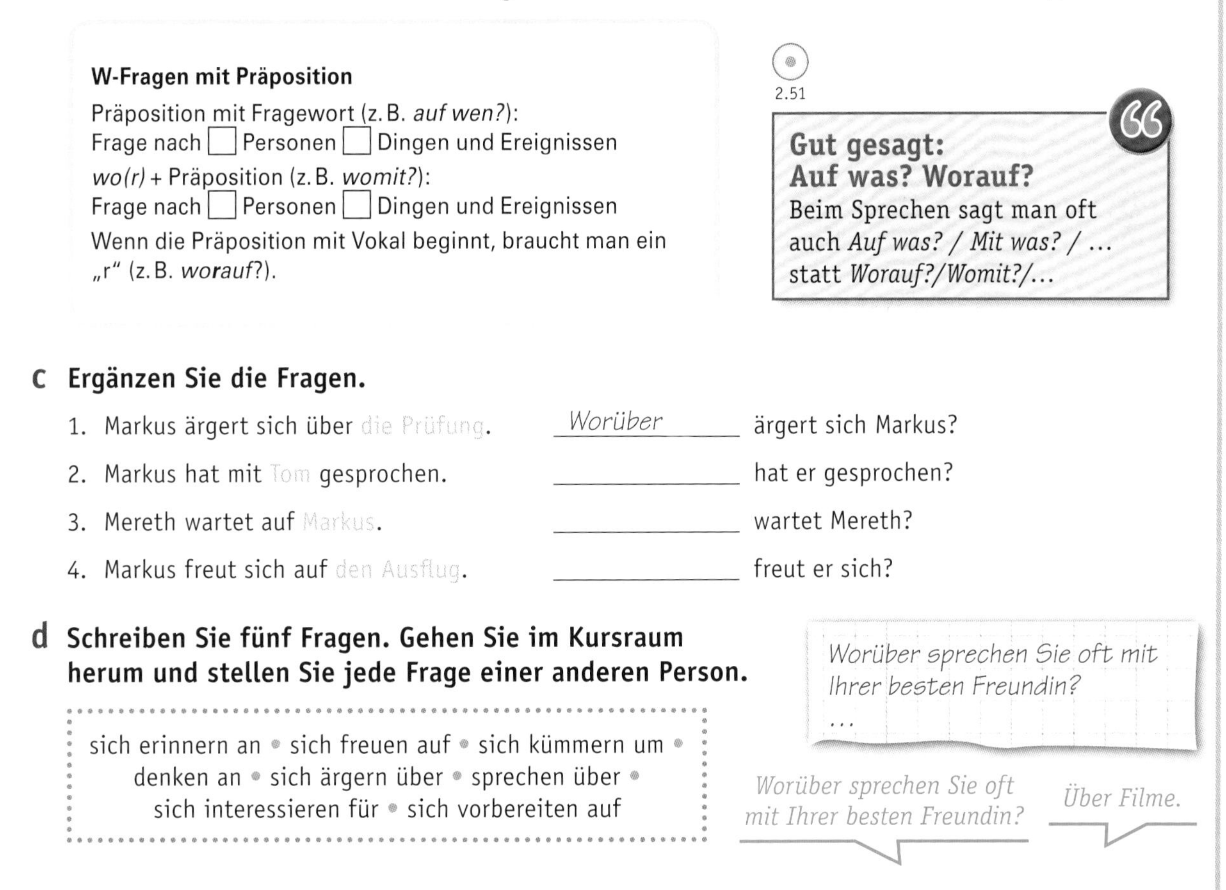

W-Fragen mit Präposition
Präposition mit Fragewort (z. B. *auf wen?*):
Frage nach ☐ Personen ☐ Dingen und Ereignissen
wo(r) + Präposition (z. B. *womit?*):
Frage nach ☐ Personen ☐ Dingen und Ereignissen
Wenn die Präposition mit Vokal beginnt, braucht man ein „r" (z. B. *worauf?*).

2.51

Gut gesagt: Auf was? Worauf?
Beim Sprechen sagt man oft auch *Auf was? / Mit was?* / … statt *Worauf?/Womit?/…*

c Ergänzen Sie die Fragen.

1. Markus ärgert sich über die Prüfung. *Worüber* ärgert sich Markus?
2. Markus hat mit Tom gesprochen. ________ hat er gesprochen?
3. Mereth wartet auf Markus. ________ wartet Mereth?
4. Markus freut sich auf den Ausflug. ________ freut er sich?

d Schreiben Sie fünf Fragen. Gehen Sie im Kursraum herum und stellen Sie jede Frage einer anderen Person.

sich erinnern an • sich freuen auf • sich kümmern um • denken an • sich ärgern über • sprechen über • sich interessieren für • sich vorbereiten auf

Worüber sprechen Sie oft mit Ihrer besten Freundin?
…

Worüber sprechen Sie oft mit Ihrer besten Freundin?
Über Filme.

10

2.52

a Satzakzent. Hören Sie die Sätze. Welche Information ist dem Sprecher wichtig? Unterstreichen Sie.

1. Linda möchte mit ihren Freunden einen Ausflug machen.
2. Linda möchte mit ihren Freunden einen Ausflug machen.
3. Sie sind vier Stunden mit dem Kajak gefahren.
4. Sie sind vier Stunden mit dem Kajak gefahren.

Satzakzent
Wenn man eine Information wichtig findet, betont man sie im Satz.

b Probieren Sie es selbst. Sprechen Sie die Sätze zweimal mit anderen Betonungen.

1. Mereth schmeckt der Apfelkuchen von Linda besonders gut.
2. Milla hat keine Lust auf eine Kajaktour.
3. In den Ferien fahre ich zu meinen Freunden in Deutschland.

Zeitreisen

11 a **Arbeiten Sie zu zweit. Jeder liest einen Text. Was könnte in den Lücken stehen? Füllen Sie die Lücken in Ihrem Text sinnvoll.**

> **Wörter erschließen**
> Sie lesen einen Text und verstehen manche Wörter nicht?
> Vielleicht können Sie die Wörter über den Kontext erschließen. Versuchen Sie es.

A

Eine Zeitreise in die Vergangenheit

Ein Filmteam begleitet Familie Schmidt aus Köln auf ihrer Zeitreise in den Schwarzwald vor 100 Jahren. Eigentlich beginnt die Geschichte ein halbes Jahr früher. Herr Schmidt liest eine ______ (1) in der Zeitung. Ein Fernsehsender sucht ______ (2) für das spannende Projekt. Die Schmidts und 600 andere Familien bewerben sich. Und die Schmidts dürfen mitmachen. So beginnt das Abenteuer „Zeitreise". Auf dem Bauernhof, wo die Familie drei Monate lebt, sieht alles aus wie vor 100 Jahren. Es gibt keinen Strom und deshalb auch kein elektrisches ______ (3) . Lesen muss die Familie bei Kerzenlicht. Auch fließendes Wasser haben sie nicht und so dauern auch Arbeiten wie Wäsche waschen oft sehr lange. Es ist kalt in dem Haus, weil es natürlich keine ______ (4) gibt und richtig warme Kleidung haben sie auch nicht. Es ist Winter und Familie Schmidt ist oft krank. Sie kümmern sich um die Tiere und die Pflanzen. Auch ihr eigenes ______ (5) backen sie. Arbeitstage mit 18 Stunden sind normal, trotzdem verdienen sie sehr wenig Geld. Auch im Ort laufen die Uhren anders. Die Schmidts dürfen im ______ (6) einkaufen. Aber nur Dinge, die es schon vor 100 Jahren gegeben hat.

B

Home | MyBlog | Fotoalbum | Impressum | Kontakt

Unser Abenteuer ist zu Ende und wir sind wieder zu Hause in Köln. Es war toll, aber auch sehr anstrengend. Wir haben drei Monate auf einem Bauernhof wie vor 100 Jahren gelebt. Peter hat eine Anzeige in der ♒●❖●⌧□❖♎⬧ (1) gelesen und dann haben wir uns gleich beworben. Nicht nur wir, sondern auch noch 600 andere Familien. Aber der Fernsehsender hat uns ausgesucht ☺! Auf dem Hof hatten wir natürlich keinen Strom und deshalb auch kein elektrisches Licht. ●⌧⬧❍♐●♏♐■♑● (2) mussten wir immer mit Kerzenlicht. Wäsche waschen hat auch immer ewig lange gedauert, weil wir kein fließendes Wasser hatten. Wir haben sehr viel gearbeitet, jeden Tag 18 Stunden, aber viel □♋■♎□♏● (3) haben wir nicht verdient. Wir mussten uns auch um die ❖♋■❍♏❖□♍● (4) und um die Pflanzen kümmern. Das war schwierig, wir wissen da eigentlich nicht genug. Auch sonst war das Leben hart. Es war kalt, denn wir hatten keine Heizung und keine richtig warme ♋⬧♏♍◆⬧■✉● (5). Wir waren oft krank. Auch das Kochen war viel komplizierter, aber unser Brot war sehr lecker. Selbst gebacken! Wir durften im Supermarkt einkaufen. Aber natürlich keine Spaghetti und keinen Maracuja-Joghurt. Nein, nur Produkte, die man auch schon vor 100 Jahren kaufen konnte.

b **Welche Informationen fehlen Ihnen? Fragen Sie Ihren Partner / Ihre Partnerin und vergleichen Sie. Haben Sie die Lücken richtig gefüllt?**

Was hat Herr Schmidt gelesen?

c **Würden Sie an dem Projekt teilnehmen? Diskutieren Sie.**

12 a **In welche Zeit würden Sie gern eine Zeitreise machen? In die Vergangenheit oder in die Zukunft? Begründen Sie.**

Ich würde 500 Jahre zurückreisen und …

Ich würde auf keinen Fall …

b **Bilden Sie Gruppen und einigen Sie sich auf einen Zeitpunkt für Ihre Zeitreise. Entwerfen Sie dann gemeinsam ein Werbeplakat für die Reise.**

Sprichwörter

13 a Lesen Sie die Sprichwörter. Welches Bild passt? Verbinden Sie.

a Morgenstund' hat Gold im Mund.

b Zeit ist Geld.

c Die Zeit heilt alle Wunden.

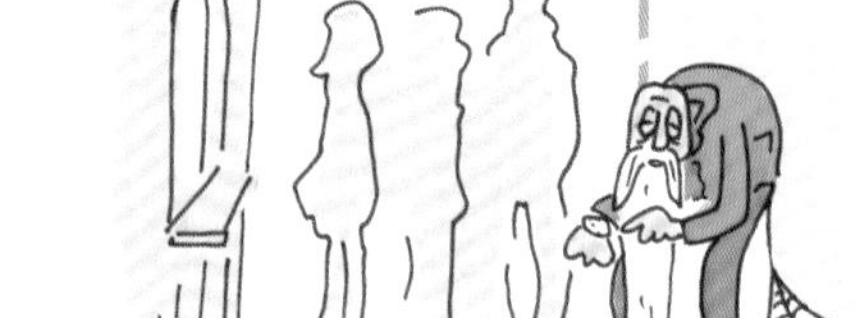

d Dem Wartenden scheinen Minuten Jahre zu sein. (Chinesisches Sprichwort)

e Gras wächst nicht schneller, wenn man daran zieht. (Afrikanisches Sprichwort)

E

f Kommt Zeit, kommt Rat.

b Welches Sprichwort passt zu welcher Erklärung? Ordnen Sie zu.

1. Man muss Geduld haben. ____
2. Am Morgen kann man besonders gut arbeiten und viel schaffen. ____
3. Wenn viel Zeit vergangen ist, vergisst man auch Enttäuschungen. ____
4. Man sollte seine Zeit effektiv nutzen. ____
5. Es hängt von der Situation ab, wie schnell die Zeit vergeht. ____
6. Für die Lösung von einem Problem braucht man oft viel Zeit. ____

c Welche Sprichwörter zum Thema „Zeit" gibt es in Ihrer Sprache? Erzählen Sie.

d Wählen Sie ein Sprichwort aus 13a als Überschrift und schreiben Sie eine Geschichte dazu.

Morgenstund hat Gold im Mund
Das Telefon klingelt und klingelt. Es ist erst sieben Uhr. Wer ruft so früh an? Jan hat ein komisches Gefühl.
...

Geschichten spannend machen
- Bauen Sie Fragen ein.
- Beschreiben Sie die Gefühle von Personen in der Geschichte.

Der Film

14

11.22

a Alles ist anders! Sehen Sie Szene 22. Welche Sätze sind richtig? Welche sind falsch? Kreuzen Sie an.

	richtig	falsch
1. Bea würde gern wieder im Verlag arbeiten.	☐	☐
2. Bea arbeitet jetzt in ihrem Traumberuf.	☐	☐
3. Sie findet ihre neue Arbeit manchmal auch langweilig.	☐	☐
4. Bea hätte gern mehr Zeit für ihre Freunde.	☐	☐

b Was hat sich in Beas Leben durch die neue Stelle verändert? Notieren Sie Stichworte und vergleichen Sie im Kurs.

früher	heute
von 9 bis 5 Uhr im Verlag	

Früher war Bea …

c Wie finden Sie Beas neuen Wohnort? Wie gefällt Ihnen der Bauernhof? Sprechen Sie im Kurs.

15

a Endlich mehr Zeit! Wer sagt was? Vermuten Sie und notieren Sie B (für Bea) oder C (für Claudia).

Im Moment bin ich dauernd unterwegs. Letzte Woche drei Tage in Berlin. Und davor in Madrid. Das war toll. ____

Das ist doch ein perfekter Start ins Berufsleben. Ich gratuliere dir! ____

Bei mir gibt's auch Neuigkeiten: Seit diesem Monat arbeite ich nur noch halbtags. ____

Ich will mehr Zeit für mich. ____

Und was sagt Martin dazu? ____

Martin? Der unterstützt mich voll. ____

11.23

b Sehen Sie nun Szene 23. Waren Ihre Vermutungen richtig?

c Wofür und für wen hat Claudia jetzt mehr Zeit?

d Mehr Zeit – weniger Zeit. Welche Veränderungen hat es bei Ihnen gegeben? Wann hatten Sie plötzlich mehr Zeit oder weniger Zeit? Erzählen Sie.

Nach der Schule habe ich eine Ausbildung begonnen. Da hatte ich plötzlich viel weniger Zeit. Ich musste jeden Tag bis 18 Uhr arbeiten. …

Kurz und klar

Wünsche äußern

Ich würde gern öfter Freunde treffen. • Wir hätten gern einen Hund. • Sie wäre gern mehr in der Natur.

Ratschläge geben

Ich würde mit meinem Chef sprechen.
Du könntest deiner Kollegin sagen, dass ihr in der Mittagspause reden könnt.
Du solltest am Abend Sport machen.
An deiner Stelle würde ich mit dem Fahrrad zur Arbeit fahren.

gemeinsam etwas planen

einen Vorschlag machen / um etwas bitten
Wir könnten ...
Wollen wir ...?
Könntest du ...?
Denkst du an ...?
Würdest du bitte ...?

zustimmen
Klar, gern.
Ich finde, ... ist gut/prima.
Von mir aus gern.
Aber sicher.
Ja, das wäre super.

einen Gegenvorschlag machen / nachfragen
Wollen wir nicht lieber ...?
Was für einen/ein/eine ... gibt es?
Geht das bei dir?
Was hältst du davon? Wir ...
Einverstanden?

ablehnen
Nein, das ist nicht so praktisch.
Ich habe keine Lust.
Nein, das schaffe ich schon.
Ne, lieber nicht.

Grammatik

Konjunktiv II: Formen

	sein	haben	andere Verben: würde + Infinitiv
ich	wäre	hätte	**würde** ... essen
du	wär**st**	hätt**est**	**würdest** ... fahren
er/es/sie	wäre	hätte	**würde** ... schlafen
wir	wär**en**	hätt**en**	**würden** ... schwimmen
ihr	wär**t**	hätt**et**	**würdet** ... helfen
sie/Sie	wär**en**	hätt**en**	**würden** ... lachen

Konjunktiv II: Verwendung

höfliche Bitte:
Könntest du mir (bitte) helfen?
Wunsch:
Ich **hätte gern** mehr Zeit.
Ratschlag:
Ich **würde** mit meinem Chef **sprechen**.

Verben mit Präposition

Wir **freuen** uns **auf** den Ausflug.	sich freuen auf + Akk.
Er **denkt an** uns.	denken an + Akk.
Sie **spricht mit** ihren Freunden.	sprechen mit + Dat.

Weitere Verben: sich ärgern über + Akk., sich kümmern um + Akk., warten auf + Akk., ...

W-Fragen mit Präposition

Mit **Präposition** + **Fragewort** fragt man nach Personen.	**Über wen** ärgert sich Markus? – Über den Lehrer. **Mit wem** hat Markus gesprochen? – Mit Tom.
Mit ***wo(r)*** + **Präposition** fragt man nach Dingen und Ereignissen.	**Worüber** ärgert sich Markus? – Über die Prüfung. **Worauf** freut er sich? – Auf den Ausflug.

Wenn die Präposition mit Vokal beginnt, braucht man ein „r". Beispiel: wo**r**über, wo**r**auf, ...

Lernziele

Informationen über andere Kulturen verstehen
über Benehmen sprechen
Absichten ausdrücken
die passende Anrede verwenden
Tipps in einem Text verstehen
über Anredeformen sprechen
nähere Informationen geben
über Klischees sprechen
Klischees recherchieren und darüber schreiben

Grammatik

Nebensätze mit *damit* und *um … zu*
Relativsätze im Akkusativ

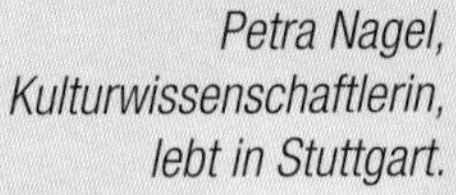

Petra Nagel, Kulturwissenschaftlerin, lebt in Stuttgart.

Sie waren gerade wieder in Äthiopien. Was hat Sie am meisten beeindruckt?
Die Gastfreundschaft war toll. Ich war ein paar Mal Gast bei einer traditionellen Kaffeezeremonie. Das gehört zum normalen Leben.
Was ist das Besondere? Bei uns lädt man auch Freunde zum Kaffee ein.
Ja, aber bei uns steht der Kaffee schon fertig auf dem Tisch. In Äthiopien macht die Gastgeberin alles selbst. Die Zeremonie dauert oft zwei Stunden, und da kann man reden, viel, viel reden.
Was passiert da?
Die Gastgeberin wäscht die Kaffeebohnen, röstet sie auf einem kleinen Ofen und so weiter. Der Kaffee schmeckt sehr gut.

Typisch, oder?

Wie feiert ihr Neujahr?
Welches Neujahr? Wir feiern nämlich zweimal. Ich feiere Silvester mit meinen Eltern und vielen Freunden.
Und das zweite Neujahr?
Das feiern wir am 22. März, Nouruz. Mein Vater kommt aus dem Iran, für ihn ist Nouruz sehr wichtig und in unserer Familie auch.
Wie feiert ihr Nouruz? Was ist besonders?
Wir kochen Fisch und grünen Reis, und wir dekorieren einen Tisch, der heißt „Haft Sin": „Sieben Sachen" – alle beginnen mit S. Das gehört dazu. Und alles wird neu.
Was heißt das, „alles wird neu"?
Man muss an Nouruz neu beginnen, man muss alte Probleme vergessen. Nur so kann das neue Jahr gut werden.

Shirin Madani lebt in Innsbruck. Der Vater ist aus dem Iran, die Mutter aus Österreich.

1 **a** **Traditionen. Sehen Sie die Fotos 1 bis 3 an. Beschreiben Sie die Bilder.**

b **Arbeiten Sie zu dritt. Jeder liest ein Interview. Berichten Sie den anderen von Ihrem Interview.**

Shirin Madani erzählt vom Neujahrsfest Nouruz. …

Herr Böhmer, warum tragen Sie diese Kleidung?
Ich bin Tischler, und jetzt bin ich auf der Walz. Also ich wandere durch Deutschland und arbeite mal hier und mal dort.
Wie lange dauert die Wanderschaft, die „Walz"?
Drei Jahre und einen Tag. Erst dann darf ich in meinen Heimatort zurückkommen.
Müssen Sie das machen?
Nein, nein. Das ist freiwillig.
Kann jeder auf Wanderschaft gehen?
Nein, man braucht eine abgeschlossene Lehre, man muss also Geselle sein. Und man muss – wenn man die Tradition sehr streng sieht – ledig sein und jünger als 30 Jahre.
Ist die Kleidung praktisch?
Ja, schon. Man trägt sie ja auch bei jedem Wetter, im Sommer und im Winter.

Jakob Böhmer ist Tischler und Wandergeselle. Er kommt aus Kassel.

2

a **Typisch deutsch? Sehen Sie die Fotos an. Was feiert man da? Sammeln Sie Ideen.**

Erntedankfest im Schwarzwald (Baden-Württemberg)

Maibaum in Bonn

b **Hören Sie die Interviews und vergleichen Sie die Informationen mit Ihren Ideen aus 2a. Beantworten Sie die Fragen.**

1. Welche Traditionen sind den Leuten wichtig?
2. Wann macht man das?
3. Wer macht das?
4. Was ist besonders?

c **Welches Fest oder welche Tradition ist für Sie wichtig? Sammeln und berichten Sie.**

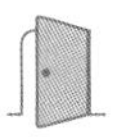

d **Recherchieren Sie zu den Traditionen „Erntedankfest" oder „Maibaum". Oder wählen Sie eine andere Tradition aus D-A-CH aus. Sammeln Sie dann alle Informationen im Kurs und machen Sie ein Plakat.**

Alles anders?

3

a Sehen Sie die Zeichnungen an. Was sind die Probleme? Beschreiben Sie.

b Lesen Sie die Nachrichten von Dursun und die Antwort von seinem Freund. Welche SMS passt zu welchem Abschnitt in der E-Mail?

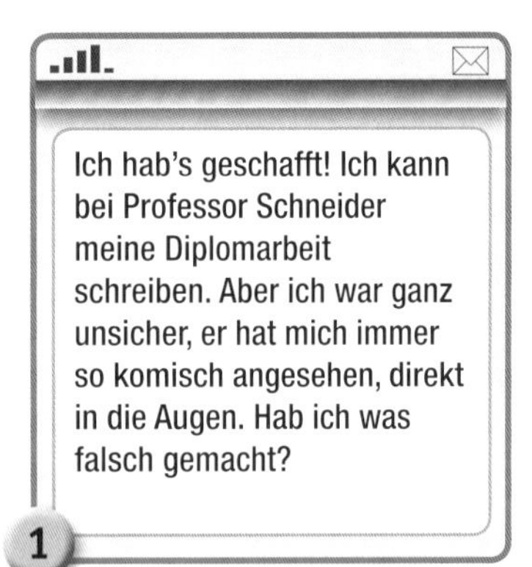

Ich hab's geschafft! Ich kann bei Professor Schneider meine Diplomarbeit schreiben. Aber ich war ganz unsicher, er hat mich immer so komisch angesehen, direkt in die Augen. Hab ich was falsch gemacht?

1

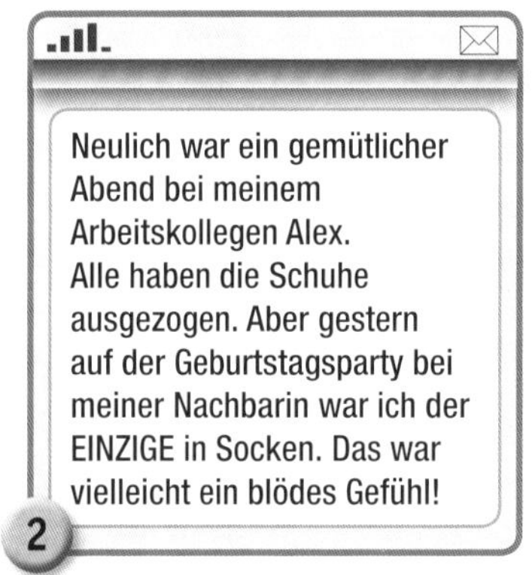

Neulich war ein gemütlicher Abend bei meinem Arbeitskollegen Alex. Alle haben die Schuhe ausgezogen. Aber gestern auf der Geburtstagsparty bei meiner Nachbarin war ich der EINZIGE in Socken. Das war vielleicht ein blödes Gefühl!

2

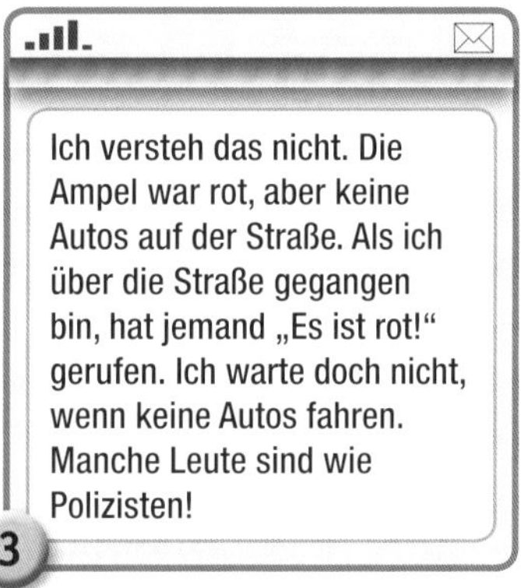

Ich versteh das nicht. Die Ampel war rot, aber keine Autos auf der Straße. Als ich über die Straße gegangen bin, hat jemand „Es ist rot!" gerufen. Ich warte doch nicht, wenn keine Autos fahren. Manche Leute sind wie Polizisten!

3

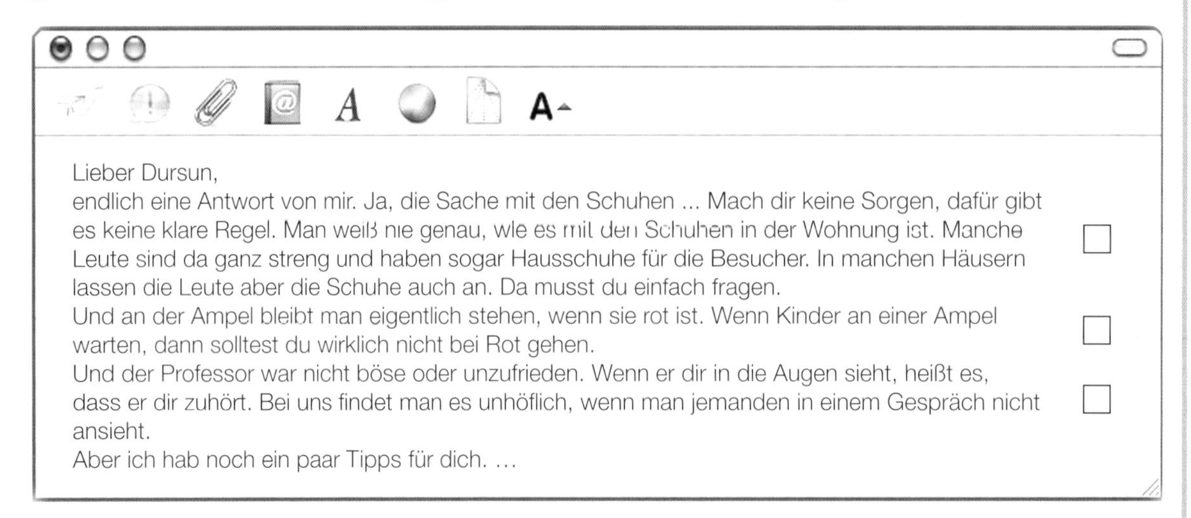

Lieber Dursun,
endlich eine Antwort von mir. Ja, die Sache mit den Schuhen ... Mach dir keine Sorgen, dafür gibt es keine klare Regel. Man weiß nie genau, wie es mit den Schuhen in der Wohnung ist. Manche Leute sind da ganz streng und haben sogar Hausschuhe für die Besucher. In manchen Häusern lassen die Leute aber die Schuhe auch an. Da musst du einfach fragen. ☐

Und an der Ampel bleibt man eigentlich stehen, wenn sie rot ist. Wenn Kinder an einer Ampel warten, dann solltest du wirklich nicht bei Rot gehen. ☐

Und der Professor war nicht böse oder unzufrieden. Wenn er dir in die Augen sieht, heißt es, dass er dir zuhört. Bei uns findet man es unhöflich, wenn man jemanden in einem Gespräch nicht ansieht. ☐

Aber ich hab noch ein paar Tipps für dich. ...

c Was sollte man machen? Formulieren Sie Ratschläge mit den Informationen aus der E-Mail.

In Gesprächen sollte man die andere Person ...

d Ist Ihnen im Ausland auch schon etwas Ähnliches passiert wie in 3a? Machen Sie Notizen und erzählen Sie.

Ich war einmal in ...

Das macht man bei uns nicht!

4

a Kulturknigge. Lesen Sie die Forumsbeiträge. Wählen Sie zu zweit eine Situation und spielen Sie die zwei Varianten im Kurs vor.

1 **Schneebär** Wenn ich mir die Nase putzen muss, dann nehme ich ein Taschentuch, sehe zur Seite und mache das so leise wie möglich. Da kann man doch nichts falsch machen.

↳ **Nana** Ein Taschentuch nehmen und die Nase putzen, das ist bei uns unhöflich. Das sollte man auf keinen Fall tun. Ich gehe zur Toilette oder ich ziehe die Nase hoch. So macht man das bei uns.

2 **Tintin** Wenn die Suppe sehr heiß ist, dann rühre ich mit dem Löffel um und esse ganz vorsichtig und leise.

↳ **Surang** Man kann doch die Suppe auch vom Löffel schlürfen. Dann hört man, dass sie gut schmeckt.

3 **BigBen** Man sitzt privat zusammen beim Essen. Der Gastgeber fragt, ob jemand noch etwas will. Wer „ja" sagt, bekommt noch etwas. Wer „nein" sagt, bekommt nichts. Ganz einfach.

↳ **Jassi** Nein, das kann man bei uns nicht machen. Man muss zuerst ein paar Mal „nein" sagen, auch wenn man noch Hunger hat. Erst dann sagt man „ja" und bekommt noch eine Portion. Wenn man gleich „ja" sagt, wirkt das gierig und unhöflich.

b Wie macht man das bei Ihnen? Erzählen Sie im Kurs.

2.54

c Interview mit einer Reiseleiterin. Hören Sie. Ergänzen Sie das Land und verbinden Sie.

1. In ______________ sagt man zuerst ein paar Mal „nein",
2. Man geht in ______________ immer zur Toilette,
3. In ______________ essen die Leute heiße Suppe ganz vorsichtig,

A um sich die Nase zu putzen.
B um nicht zu schlürfen. Laut schlürfen ist unhöflich.
C damit man nicht gierig oder unhöflich wirkt.

d Absichten ausdrücken. Lesen Sie die Regel und kreuzen Sie an.

Regel:
1. Subjekt 1 und Subjekt 2 sind
☐ gleich ☐ nicht gleich: *damit*
2. Subjekt 1 und Subjekt 2 sind
☐ gleich ☐ nicht gleich: *damit* oder *um ... zu*

Nebensätze mit *damit* und *um ... zu* (Wozu?)

Der Gastgeber bietet mehrmals Essen an, **damit alle Gäste** satt werden.
Man sagt zuerst „nein", **damit man** nicht unhöflich wirkt.
um nicht unhöflich **zu** wirken.

5

Benehmen und Höflichkeit. Was sollte man (nicht) machen? Wozu? Schreiben Sie fünf Sätze.

in der Bibliothek leise sein
bei einer Einladung ein Geschenk mitbringen
bei einem Termin pünktlich sein
im Bus einen Sitzplatz frei machen

alte Leute können sitzen • den Gastgebern eine Freude machen • die anderen nicht stören • die anderen nicht warten müssen • ...

In der Bibliothek sollte man leise sein, um die anderen nicht zu stören.

6

Als Gast in ... Worauf muss man bei Ihnen achten? Schreiben Sie fünf Ratschläge.

als Gast   beim Essen   im Gespräch   bei der Kleidung   ...

Bei einer Party sollte man ...

Du oder Sie?

7 **Sehen Sie die Fotos an. Was denken Sie: Wer sagt zu wem *du*? Wer sagt zu wem *Sie*? Sprechen Sie im Kurs.**

8 a **Arbeiten Sie zu zweit. Lesen Sie den Text. Wann sagt man *du*, wann sagt man *Sie*? Person A markiert Informationen für *du*, B für *Sie*. Sprechen Sie dann über Ihre Informationen.**

Duzen oder siezen? Welche Anrede ist wann korrekt?

Man will ja nicht unhöflich sein – aber wie macht man es richtig? Zu wem sagt man *du* und zu wem sagt man *Sie*? So einfach ist das gar nicht und klare Regeln gibt es auch nicht immer. Aber zum Glück gibt es einige Tipps.

Es ist unhöflich, *du* zu sagen, wenn der andere lieber ein *Sie* hören möchte. Sagt man also am besten immer *Sie*? Nein, so einfach ist es leider nicht, denn das kann auch unhöflich sein: *Sie* zeigt immer auch Distanz. Es kann auch heißen, dass man keinen persönlichen Kontakt will, dass man nicht befreundet sein will. Wann also sagt man *du* und wann *Sie*?
5 Einfach ist es, wenn man jung ist: Kinder bis zum Schulalter dürfen zu allen *du* sagen. Wenn die Kinder dann in der Schule sind, sagen sie zu anderen Kindern *du* und zu den meisten Erwachsenen *Sie*. Jugendliche und Studenten duzen sich (auch wenn sie sich nicht näher kennen) und siezen andere Erwachsene. Mitglieder der Familie und gute Freunde aber duzt man immer, auch wenn sie älter sind.
Nicht mehr so einfach ist es ab einem Alter von ungefähr 30 Jahren. Ist man schon so alt, dass man 10 Personen im gleichen Alter siezen muss? Oder fühlt man sich noch jung und sagt lieber *du*? Hier gibt es keine Regel und jeder entscheidet das selbst. Es hängt auch davon ab, wo man lebt. In Österreich und der Schweiz sagt man eher *du* als in vielen Teilen Deutschlands. Und auf dem Dorf duzt man eher als in der Stadt.
Generell gilt, dass sich Erwachsene automatisch siezen, wenn sie sich nicht gut kennen. Auf jeden 15 Fall siezt man fremde ältere Personen. Natürlich spricht man auch Polizisten, Lehrer, Professoren und Beamte mit *Sie* an. Auch in Restaurants und Geschäften spricht man die Personen besser mit *Sie* an. Eine Ausnahme ist, wenn der Kellner (die Kellnerin) oder der Verkäufer (die Verkäuferin) *du* sagt. Dann kann man auch *du* sagen – man muss aber nicht, wenn man nicht möchte.
Und dann gibt es noch bestimmte Situationen, die typisch für das Duzen sind: Beim Wandern in den 20 Bergen und bei vielen Sportarten, auf Partys, in Clubs und Bars sagt man meistens *du*.
Und wie ist es am Arbeitsplatz, unter Kollegen und mit dem Chef? Das ist ganz unterschiedlich. Am besten, man hört zu, wie es die anderen machen. Aber geben Sie Acht: Ihren Chef sollten Sie siezen, auch wenn Kollegen ihn duzen. Und auch bei Kollegen gilt: Wenn man sich nicht sicher ist, sollte man immer siezen. Erst wenn sie einem das Du anbieten, kann man sie duzen.

b Wer sagt was? Kreuzen Sie die passende Anrede für die folgenden Situationen an. Spielen Sie zu zweit drei Situationen.

	Sie	du
1. Ein Schulkind fragt eine Frau nach der Uhrzeit.	☐	☐
2. Ein Student fragt einen anderen Student nach der Mensa.	☐	☐
3. Ein Mann fragt einen Polizisten nach dem Weg zum Bahnhof.	☐	☐
4. Eine Frau fragt einen älteren Herrn nach einer Apotheke.	☐	☐
5. Ihr neuer Kollege bittet den Chef um einen Termin.	☐	☐
6. Bei einer Bergtour fragt ein Mann einen anderen, wie weit es noch bis zum Ziel ist.	☐	☐

Entschuldigung, können Sie mir sagen, wie spät es ist?

Ja, warte mal … Es ist jetzt …

2.55

Gut gesagt: Das Du anbieten
Wollen wir uns nicht duzen? / Sollen wir nicht du sagen?
◇ Ja, gerne. Also ich bin Valentin. Und ich bin Sandra.

12.24

c Wie ist das in Ihrer Sprache? Gibt es Unterschiede in der Anrede (ähnlich wie *Sie* oder *du*)? In welchen Situationen sagt man was? Sammeln Sie im Kurs.

d Sehen Sie noch einmal die Bilder in Aufgabe 7 an. Arbeiten Sie in kleinen Gruppen. Wählen Sie gemeinsam ein Bild und schreiben Sie einen Dialog dazu. Spielen Sie den Dialog im Kurs vor.

9

a Relativsätze. Lesen Sie die Sätze. Markieren Sie das Verb und das Akkusativpronomen. Ergänzen Sie dann im Relativsatz das Relativpronomen.

1. Das ist ein guter Freund von mir. Ich duze ihn natürlich.
   Das ist ein guter Freund von mir, _den_ ich natürlich duze.
2. Ich sieze ältere Menschen. Ich kenne sie nicht.
   Ich sieze ältere Menschen, ______ ich nicht kenne.
3. Ich sieze meine Chefin. Ein Kollege von mir duzt sie.
   Ich sieze meine Chefin, ______ ein Kollege von mir duzt.

Relativsätze im Akkusativ

Du siehst **ihn**.

Der Mann, **den** du siehst, ist mein Kollege.

Relativpronomen im Akkusativ

mask.	der Mann,	**den** ich kenne ...
neutr.	das Kind,	**das** ich kenne ...
fem.	die Frau,	**die** ich kenne ...
Plural	die Leute,	**die** ich kenne ...

b Und Ihre Freunde, Bekannten, ...? Schreiben Sie Relativsätze.

1. ...: Kollegin – ich kenne sie schon lange
2. ... und ...: Freunde – ich treffe sie oft
3. ...: Arzt – ich muss ihn wieder anrufen
4. ...: Freund – ich habe ihn lange nicht gesehen

1. Clara ist eine Kollegin, die ...

10

2.56

a Aussage oder Frage? Hören Sie die Sätze. Kreuzen Sie an.

	Frage	Aussage		Frage	Aussage		Frage	Aussage
Satz 1	☐	☐	Satz 3	☐	☐	Satz 5	☐	☐
Satz 2	☐	☐	Satz 4	☐	☐	Satz 6	☐	☐

Aussage als Frage
Die Stimme steigt am Satzende nach oben.
Du kommst mit? ↑

2.57–62

b Hören Sie nun sechs Gespräche zur Kontrolle.

c Arbeiten Sie zu zweit. Jeder nimmt zehn Zettel und notiert auf fünf Zetteln fünf Sätze ohne Satzzeichen und auf den anderen fünf Zetteln „!“ oder „?“. Machen Sie zwei Stapel und ziehen Sie von jedem Stapel einen Zettel. Sagen Sie dann Ihre Sätze laut. Frage oder Aussage? Der Partner / die Partnerin rät.

Immer diese Klischees ...

11 a **Sehen Sie die Bilder an. Kennen Sie diese Klischees? Sprechen Sie im Kurs.**

2.63–64 b **Hören Sie zwei Gespräche. Auf welche Klischees in 11a gehen die Studenten ein?**

2.63–64 c **Hören Sie noch einmal und machen Sie Notizen. Welche weiteren Klischees nennen Jenny, Marisa und Nathan? Was sagen die Studenten über die Klischees? Berichten Sie.**

Wortschatz AB d **Und Ihre Erfahrungen? Was haben Sie in Deutschland, Österreich oder der Schweiz erlebt oder von diesen Ländern gehört? Erzählen Sie.**

12.25

Oft hört man ... • ... manchmal ... • Einmal habe ich erlebt, dass ... •
In ... ist mir aufgefallen, dass ... • Manche Leute sagen, dass ...

12 a Ein Blog über Österreich. Arbeiten Sie zu zweit. Lesen Sie und nummerieren Sie die Textteile in der richtigen Reihenfolge. Vergleichen Sie mit Ihrem Partner / Ihrer Partnerin.

Home | MyBlog | Fotoalbum | Impressum | Kontakt

Typisch Österreich?

A ☐

Ein zweites Klischee ist das mit dem Skifahren. In den USA haben mich alle gefragt, ob ich auch so gut Ski fahren kann. Und? Ich kann überhaupt nicht Ski fahren! Ja, da bin ich vielleicht eine Ausnahme. Meine Freunde und Bekannten können alle Ski fahren ... Vielleicht lerne ich es ja auch noch.

B ☐

Abschließend kann ich nur sagen, dass mich viele Klischees über Österreich überrascht haben. Manche stimmen, aber eigentlich sind die Leute doch so unterschiedlich, dass die Klischees nie für alle stimmen.

Textaufbau
1. das Thema nennen
2. Aussage 1 + eigene Meinung
3. Aussage 2 + eigene Meinung
4. ...
5. Zusammenfassung / Schluss

C ☐

Ein typisches Klischee ist, dass wir Österreicher noch in der Kaiserzeit leben. Also, dass wir zum Beispiel so gerne den Opernball feiern, mit Ballkleidern, wie sie Prinzessinnen tragen, Handkuss und, und, und. So ein Quatsch! Ich persönlich interessiere mich dafür gar nicht. Ich finde das alles total altmodisch. Mir gefällt das nicht. Meinen Freunden gefällt das auch nicht. Aber natürlich gibt es Österreicher, die das toll finden.

D ☐

Ich bin in Wien geboren, zur Schule gegangen, habe hier studiert und arbeite jetzt in Wien. Nach dem Studium war ich ein Jahr in den USA. Danach bin ich wieder zurück in meine Heimat gekommen. In meiner Zeit im Ausland habe ich viel über Klischees gelernt. Ich möchte hier etwas über typisch österreichische Klischees schreiben.

E ☐

Und schließlich habe ich oft gehört, dass wir Österreicher so höflich sind. Höflich, aber auch ein bisschen zu schnell beleidigt. Ich weiß nicht, ob wir schnell beleidigt sind. Ich glaube, das ist von Mensch zu Mensch unterschiedlich. Das mit der Höflichkeit stimmt vielleicht. Ich würde nie in ein Restaurant gehen und sagen „Ich nehme ein Wiener Schnitzel" oder „Ich kriege eine Suppe". – So sagen das oft die Touristen aus Deutschland. Das finde ich sehr unhöflich. Ich würde immer sagen: „Ich hätte gern ein Schnitzel" oder „Könnten Sie mir bitte ein Schnitzel bringen?".

b Welche Klischees nennt der Blogger und welche Meinung hat er dazu? Berichten Sie.

c Wie schreibt man einen Text? Ergänzen Sie passende Ausdrücke aus dem Text.

Thema nennen	Aussagen ordnen und eine Meinung äußern	zusammenfassen / zum Schluss kommen
Mein Thema ist ... Ich schreibe über ... __________	Eine häufige Meinung ist, ... __________ Als Erstes möchte ich von ... berichten/erzählen. __________ Drittens ist ... __________ Ich glaube/meine/denke, ...	Zum Schluss möchte ich sagen, dass ... __________

13 Und Ihr Land? Schreiben Sie einen kurzen Text über Ihr Land. Nennen Sie typische Dinge/Eigenschaften und schreiben Sie über Ihre Erfahrungen.

Der Film

14 a **Das ist doch kein Berliner! Auf Deutsch gibt es für manche Lebensmittel regional verschiedene Namen. Sehen Sie Szene 24. Wie nennt Bea die beiden Dinge im Film noch? Wählen Sie aus.**

12.24

die Semmel • die Schrippe • das Brötli • das Weggli

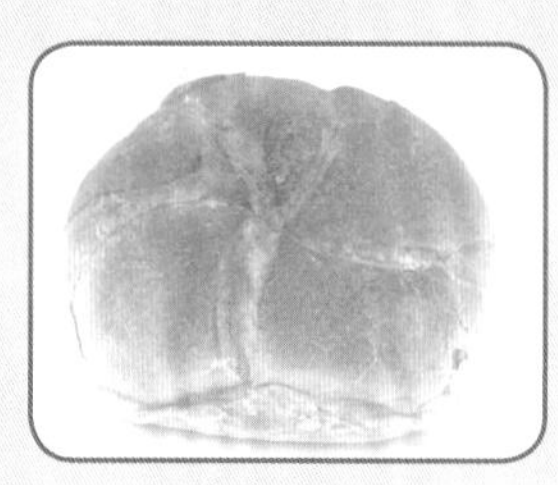
das Brötchen

der Berliner

der Puffel • der Kräbbl • der Krapfen • der Pfannkuchen

b **Sehen Sie die Szene noch einmal. Bea und Iris unterhalten sich über die neue Wohnsituation von Bea. Wer sagt was? Notieren Sie B (für Bea) und I (für Iris).**

12.24

Ort	Menschen
süß ____	nett und herzlich ____
Schock zur Großstadt ____	Oma-Typ ____
nur ein paar Häuser ____	alle duzen sich ____
langweilig ____	alle siezen sich ____
zu spießig ____	

15 a **Ein toller Film. Sehen Sie die Szene und den Trailer von „Almanya". Wählen Sie ein Thema zu „Almanya" aus dem Kasten. Was erfährt man über dieses Thema? Machen Sie Notizen und vergleichen Sie im Kurs.**

12.25

Eindrücke aus Deutschland • Weihnachten • Deutsche oder Türken? • gemeinsame Reise

b **Möchten Sie den Film gern sehen? Warum (nicht)? Welchen anderen Film möchten Sie demnächst im Kino / im Internet sehen?**

c **Wie geht es weiter mit Bea & Co.? Arbeiten Sie zu zweit und wählen Sie eine Person. Schreiben Sie einen Steckbrief über die Person – in einem, in zehn oder in zwanzig Jahren.**

Bea

Felix

Claudia Berg

Ella

d **Hängen Sie die Steckbriefe im Kursraum auf. Welcher Steckbrief gefällt Ihnen am besten?**

Kurz und klar

über Benehmen sprechen

Bei einer Einladung bringt man meistens …
Es ist höflich, wenn man …
Bei Terminen sollten Sie immer …
Man sollte in der Bibliothek …

Absichten ausdrücken

Ich bin in der Bibliothek leise, um niemanden zu stören.
Man sagt zuerst „nein“, damit es nicht unhöflich wirkt.

über Klischees sprechen

Oft hört man … • … manchmal … • Einmal habe ich erlebt, dass … •
In … ist mir aufgefallen, dass … • Manche Leute sagen, dass …

über ein Thema schreiben

das Thema nennen
Mein Thema ist …
Ich schreibe über …
Ich möchte etwas über … schreiben/sagen.

Aussagen ordnen und Meinung äußern
Eine häufige Meinung ist, …
Ein typisches Klischee / eine typische Meinung ist, …
Als Erstes möchte ich von … berichten/erzählen.
Ein zweites Klischee / eine zweite Meinung ist, … Drittens ist …
Schließlich …
Ich glaube/meine/denke, …

zusammenfassen / zum Schluss kommen
Zum Schluss möchte ich sagen, dass …
Abschließend kann ich nur sagen, dass …

Grammatik

Nebensätze mit *damit* und *um … zu* (Wozu?)

Hauptsatz			Nebensatz mit *damit / um zu*		
Der Gastgeber	bietet	mehrmals Essen an,	**damit**	**alle Gäste** satt	**werden**,
Man	sagt	zuerst „nein“,	**damit**	**man** nicht unhöflich	**wirkt**.
			um	nicht unhöflich	**zu wirken**.
	Verb				Satzende: Verb

Subjekt in Satz 1 **≠ Subjekt** in Satz 2: *damit*.
Subjekt in Satz 1 **= Subjekt** in Satz 2: *damit* oder *um … zu*.

Relativsätze mit Relativpronomen im Nominativ und im Akkusativ

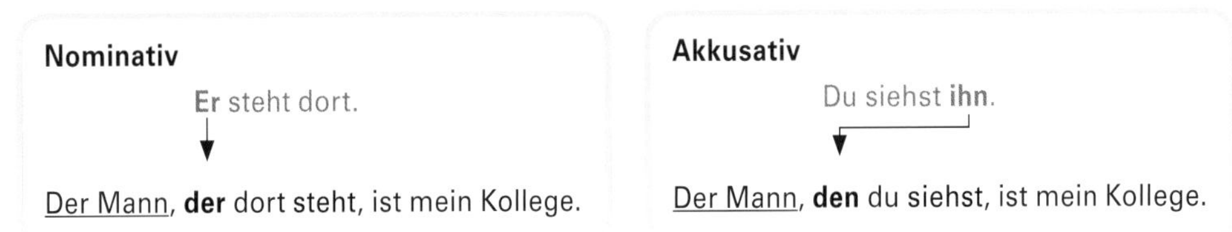

Relativpronomen: Akkusativ

maskulin	Ich kenne **den** Mann.	Das ist der Mann,	**den** ich kenne.
neutrum	Ich kenne **das** Kind.	Das ist das Kind,	**das** ich kenne.
feminin	Ich kenne **die** Frau.	Das ist die Frau,	**die** ich kenne.
Plural	Ich kenne **die** Leute.	Das sind die Leute,	**die** ich kenne.

Wiederholungsspiel

1 **Spielen Sie zu zweit gegen ein anderes Paar. Sie brauchen zwei Spielfiguren.**
Spielziel: So schnell wie möglich ins Ziel kommen.

Sie beginnen bei „Start". Gehen Sie mit Ihrer Spielfigur ein oder zwei Felder weiter. Sie dürfen in alle Richtungen gehen.

Sie kommen auf ein grünes Feld: Spielen Sie gemeinsam mit Ihrem Partner / Ihrer Partnerin einen Dialog. Sie kommen auf ein rotes Feld: Lösen Sie eine Aufgabe. Man darf nur Aufgaben machen, die noch kein anderer Spieler gelöst hat.

Wenn Sie die Aufgabe richtig lösen, bleiben Sie stehen. Wenn Sie die Aufgabe falsch lösen, müssen Sie ein Feld zurückgehen.

Wer ist zuerst am Ziel?

Dialogkarten

1 Spielen Sie: Person A möchte Karten für ein Fußballspiel, Person B ist Verkäufer/in.

2 Spielen Sie: Person A kommt aus Deutschland und möchte das Heimatland von Person B besuchen. Geben Sie Tipps, wie er/sie sich verhalten soll.

3 Planen Sie einen gemeinsamen Ausflug am Sonntag.

4 Die Teilnehmer in Ihrem Kurs möchten zusammen kochen. Planen Sie gemeinsam ein Abendessen.

5 Spielen Sie: Person A hat nächste Woche eine Prüfung und hat noch nichts gelernt. Person B gibt ihm/ihr Tipps für die Vorbereitung.

6 Diskutieren Sie: Person A möchte mit Person B bei einer Fernsehshow mitmachen. Person B findet die Idee nicht gut.

7 Planen Sie gemeinsam die Geburtstagsfeier für einen guten Freund / eine gute Freundin.

8 Planen Sie einen gemeinsamen Konzertbesuch.

9 Spielen Sie: Person A hat Geld verloren. Person B gibt ihm/ihr Ratschläge.

10 Spielen Sie: Person A hat zu wenig Zeit zum Deutschlernen. Person B gibt Tipps.

Aufgabenkarten

1 Sie treffen einen alten Freund. Sie fragen ihn: Haus? Arbeit? Hobbys?
Was für ...?

2 Welche Personen siezt man normalerweise? Nennen Sie drei.

3 Was würden Sie gern machen, wenn Sie mehr Zeit hätten? Formulieren Sie drei Antworten.

4 Sie haben nicht alles verstanden. Fragen Sie nach.
Lisa freut sich auf den Urlaub.
Sie ruft bei ihrer Freundin an.

5 Nennen Sie ein deutsches Sprichwort und ein Sprichwort aus Ihrem Heimatland.

6 Beschreiben Sie zwei Kursteilnehmer.
Erik ist der Student, der ...

7 Ein Freund / eine Freundin möchte mit Ihnen einen deutschsprachigen Film sehen. Sie möchten zustimmen. Formulieren Sie drei Alternativen.

8 Wie heißen die fehlenden Formen?
ich wäre, du ..., er ..., wir wären, ihr ..., sie ...

9 Beschreiben Sie die Situation: tanzen, trinken, sich unterhalten
Jemand ...

10 Ein Freund / eine Freundin möchte mit Ihnen zusammen kochen. Sie möchten ablehnen. Formulieren Sie drei Alternativen.

11 Bitten Sie Ihren Partner / Ihre Partnerin höflich um ...

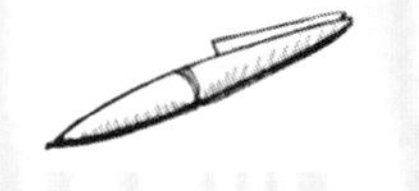

12 Beschreiben Sie das Bild möglichst genau.

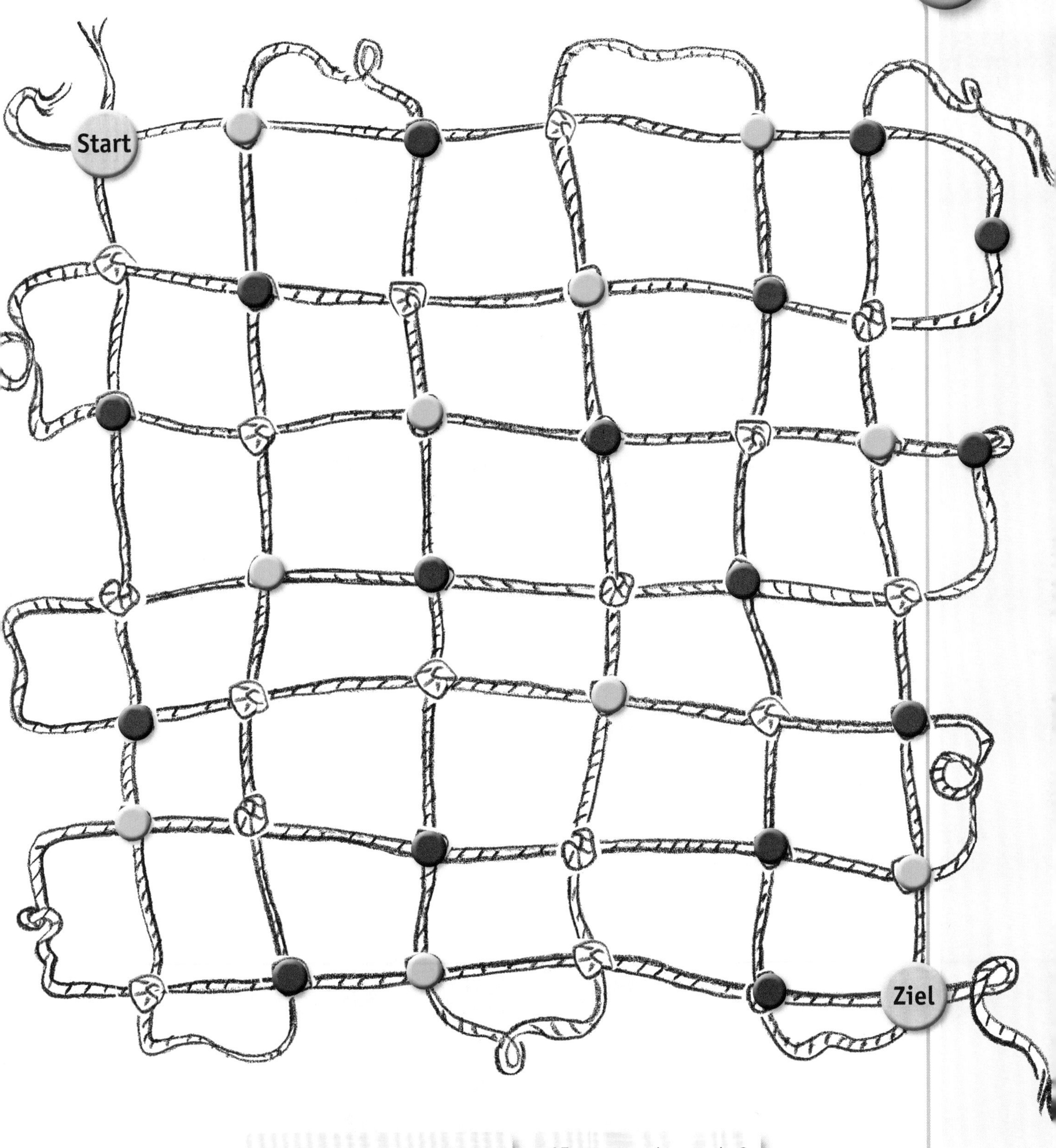

13 Welche Präposition passt?

warten …,
sich erinnern …,
sich ärgern …,
sich kümmern …

14 Wie kann man bezahlen? Nennen Sie drei Möglichkeiten.

15 Wozu macht man das? Ergänzen Sie.

In der Bibliothek ist man leise, (nicht stören)

Als Gast bringt man etwas mit, (Gastgeber eine Freude machen)

16 Was für Filme kann man im Kino sehen? Nennen Sie drei.

Spielfilme, …

Eine Geschichte

2 a **Arbeiten Sie zu zweit. Sehen Sie die Bilder an und ordnen Sie die Fotos zu einer Geschichte.**

b Schreiben Sie zu zweit kurze Dialoge zu Ihrer Geschichte. Geben Sie Ihrer Geschichte auch einen Titel. Spielen Sie dann Ihre Geschichte vor.

c Wie sind die Geschichten? Finden Sie im Kurs passende Symbole für jede Geschichte (☺ = lustig, ⚡ = spannend, ♥ = romantisch, ...). Bewerten Sie damit an der Tafel die unterschiedlichen Geschichten.

Sätze

Hauptsätze

(A1: K1, K3-6, K9, K11)

Aussagesatz	Anna	trinkt	morgens Kaffee.	
	Am Montag	ist	Jan um sechs Uhr	aufgestanden.
W-Frage	Woher	kommen	Sie?	
	Wann	fängt	das Fest	an?
		Position 2		Satzende

Ja-/Nein-Frage	Gehen	wir	ins Kino?	
	Musst	du	heute	arbeiten?
Imperativsatz	Gehen	Sie	links!	
	Komm			mit!
	Position 1			Satzende

Im Aussagesatz und in der W-Frage steht das konjugierte Verb auf Position 2.
In der Ja-/Nein-Frage und im Imperativsatz steht das konjugierte Verb auf Position 1.

Antworten auf Ja-/Nein-Fragen

K1

Schmeckt's dir?	Ja.	Nein.
Schmeckt's dir **nicht**? Isst du **keinen** Salat?	**Doch**.	Nein.

Hauptsatz und Nebensatz

K1, K3, K4, K7, K9, K10, K12

Hauptsatz	Nebensatz		
Rick freut sich,	**weil**	Lisa zum Abendessen	**kommt**.
Steven findet es gut,	**dass**	die Kollegen über Internet	**anrufen**.
Ich ärgere mich,	**wenn**	ich zu viel	arbeiten **muss**.
Lena war nie da,	**wenn**	Melly zu Hause	**war**.
Ich war sechzehn,	**als**	ich das erste Mal	gejobbt **habe**.
Der Mann fragt,	**wann**	der Zug	abgefahren **ist**.
Marius möchte wissen,	**ob**	Tom zum Essen	**kommt**.
Man sagt zuerst „nein“,	**damit**	man nicht unhöflich	**wirkt**.
Peter Veit ist der Sprecher,	**der**	in der Sendung	eingeschlafen **ist**.
	Konnektor		Satzende: Verb

Im **Nebensatz** steht das Verb am **Satzende.** Nach dem Konnektor steht meistens das Subjekt.

Nebensatz vor dem Hauptsatz

K4, K9

Nebensatz				Hauptsatz	
Weil	er viel	arbeiten **muss**,		**ist**	er abends oft müde.
Wenn	das Wetter schlecht	**ist**,	(dann)	**bin**	ich unglücklich.
Als	ich vierzehn	**war**,		**bin**	ich nach Berlin gefahren.
Konnektor		Verb		Verb	

Verb

Modalverben im Präteritum

(Modalverben im Präsens A1: K5, K11) K2

	wollen	**können**	**müssen**	**dürfen**	**sollen**
ich	woll**te**	konn**te**	muss**te**	durf**te**	soll**te**
du	woll**test**	konn**test**	muss**test**	durf**test**	soll**test**
er/es/sie	woll**te**	konn**te**	muss**te**	durf**te**	soll**te**
wir	woll**ten**	konn**ten**	muss**ten**	durf**ten**	soll**ten**
ihr	woll**tet**	konn**tet**	muss**tet**	durf**tet**	soll**tet**
sie/Sie	woll**ten**	konn**ten**	muss**ten**	durf**ten**	soll**ten**

Ich musste in der Schule viel lernen. Der Lehrer konnte nichts mehr an die Tafel schreiben.

Das Verb *werden*

K5

Präsens				**Präteritum**			
ich	werde	wir	werd**en**	ich	wurde	wir	wurd**en**
du	wir**st**	ihr	werd**et**	du	wurd**est**	ihr	wurd**et**
er/es/sie	wird	sie/Sie	werd**en**	er/es/sie	wurde	sie/Sie	wurd**en**
				Perfekt	Er **ist** Fernfahrer **geworden**.		

Verwendung

werden + Substantiv:	*werden* + Adjektiv:	*werden* + Altersangabe:
Er **wird** Fernfahrer.	Sie **wird** arbeitslos.	Sie **wird** 40 (Jahre alt).

Konjunktiv II: Formen

K7, K9, K11

	sein		**haben**	
	Präteritum	**Konj. II**	Präteritum	**Konj. II**
ich	war	wäre	hatte	hätte
du	warst	wär**st**	hattest	hätt**est**
er/es/sie	war	wäre	hatte	hätte
wir	waren	wär**en**	hatten	hätt**en**
ihr	wart	wär**t**	hattet	hätt**et**
sie/Sie	waren	wär**en**	hatten	hätt**en**

	Modalverb: können	**Modalverb: sollen**
ich	könnte	sollte
du	könnt**est**	soll**test**
er/es/sie	könnte	sollte
wir	könnt**en**	soll**ten**
ihr	könnt**et**	soll**tet**
sie/Sie	könnt**en**	soll**ten**

	andere Verben: würde + Infinitiv
ich	**würde** ... essen
du	**würdest** ... fahren
er/es/sie	**würde** ... schlafen
wir	**würden** ... schwimmen
ihr	**würdet** ... helfen
sie/Sie	**würden** ... lachen

Konjunktiv II: Verwendung

K11

höfliche Bitte:	**Könntet** ihr mir (bitte) helfen? • **Würden** Sie bitte das Fenster **aufmachen**?
Wunsch:	Ich **hätte gern** mehr Zeit. • Er **würde gern** ins Kino **gehen**.
Ratschlag:	Ich **würde** mit meinem Chef **sprechen**. • Du **solltest** unbedingt Pausen machen.

Reflexive Verben

K1

ich	beeile	**mich**	**wir**	beeilen	**uns**
du	beeilst	**dich**	**ihr**	beeilt	**euch**
er/es/sie	beeilt	**sich**	**sie/Sie**	beeilen	**sich**

Wir treffen **uns** um acht Uhr. – Okay, ich muss bis acht Uhr arbeiten, aber **ich** beeile **mich.**

Weitere reflexive Verben:
sich anziehen, sich ärgern, sich ausruhen, sich beschweren, sich freuen, sich (hin)setzen, sich langweilen, sich treffen, sich umziehen, ...

Verben mit Dativ und Akkusativ

K8

Dativ vor Akkusativ

Nominativ	**Verb**	**Dativ**	**Akkusativ**
Die Profis	erklären	den Leuten	die Regeln.
Sie	geben	ihnen	Helme.
		Person	**Sache**

Weitere Verben: einer Person etwas schenken, erklären, geben, bringen, schicken, zeigen, anbieten, ...

Akkusativ als Pronomen? → Akkusativ vor Dativ

Nominativ	**Verb**	**Akkusativ**	**Dativ**
Die Profis	erklären	sie	ihnen / den Leuten.
Sie	geben	sie	ihnen / den Besuchern.
		Sache	Person

Verben mit Präposition

K11

Wir **freuen** uns **auf** den Ausflug.	sich freuen auf + Akk.
Er **denkt an** uns.	denken an + Akk.
Sie **spricht mit** ihren Freunden.	sprechen mit + Dat.

Weitere Verben: sich ärgern über + Akk., sich kümmern um + Akk., warten auf + Akk., ...

Substantive

Genitiv: Name + -s

K7

der Beruf von Lina → Lina**s** Beruf
der Arbeitstag von Tom → Tom**s** Arbeitstag

Ausnahmen
der Tag von Klaus → Klaus' Tag
die E-Mail von Max → Max' E-Mail
die Nummer von Moritz → Moritz' Nummer

Artikelwörter

Possessivartikel im Nominativ

(A1: K5, K7)

	maskulin	neutrum	feminin	Plural
ich	**mein** Sohn	**mein** Kind	**meine** Tochter	**meine** Eltern
du	**dein** Sohn	**dein** Kind	**deine** Tochter	**deine** Eltern
er	**sein** Sohn	**sein** Kind	**seine** Tochter	**seine** Eltern
es	**sein** Onkel	**sein** Buch	**seine** Tante	**seine** Eltern
sie	**ihr** Sohn	**ihr** Kind	**ihre** Tochter	**ihre** Eltern
wir	**unser** Sohn	**unser** Kind	**unsere** Tochter	**unsere** Eltern
ihr	**euer** Sohn	**euer** Kind	**eure** Tochter	**eure** Eltern
sie	**ihr** Sohn	**ihr** Kind	**ihre** Tochter	**ihre** Eltern
Sie	**Ihr** Sohn	**Ihr** Kind	**Ihre** Tochter	**Ihre** Eltern

Possessivartikel im Nominativ, Akkusativ, Dativ

K1

	Nominativ		Akkusativ		Dativ	
maskulin	ein/kein	mein Kurs	ein**en**/kein**en**	mein**en** Kurs	ein**em**/kein**em**	mein**em** Freund
neutrum	ein/kein	dein Profil	ein/kein	dein Profil	ein**em**/kein**em**	dein**em** Hobby
feminin	eine/keine	seine Sprache	eine/keine	seine Sprache	ein**er**/kein**er**	sein**er** Küche
Plural	–/keine	ihre Kollegen	–/keine	ihre Kollegen	–/kein**en**	ihr**en** Büchern

Interrogativartikel

K10

Was für ein(e) ...?
Frage nach Neuem / nicht Bekanntem:
- Auf **was für ein** Konzert gehst du?
- Auf **ein** Rockkonzert.

Welcher/-es/-e ...?
Frage nach Bekanntem:
- Auf **welches** Rockkonzert gehst du?
- Auf **das** von Rammstein.

Pronomen

man, jemand, niemand und *alles, etwas, nichts*

K10

Man, ***jemand*** und ***niemand*** stehen für **Personen**. Man verwendet sie immer im **Singular**.
Man kann mit Kreditkarte bezahlen. Jemand tanzt. Hier ist niemand.

Alles, ***etwas***, ***nichts*** stehen für **Sachen**. Man verwendet sie immer im **Singular**.
Haben wir alles? Siehst du etwas? Hier ist nichts.

Endungen bei *niemand* und *jemand*
Ich habe niemand(en)/jemand(en) gesehen. Ich habe die Karten niemand(em)/jemand(em) gegeben.
→ Mit oder ohne Endung: Beides ist richtig.

Relativpronomen: Nominativ

K10

maskulin	**Der** Mann liebt Fußball.	Das ist der Mann,	**der** Fußball liebt.
neutrum	**Das** Kind war krank.	Das ist das Kind,	**das** krank war.
feminin	**Die** Frau arbeitet beim Fernsehen.	Das ist die Frau,	**die** beim Fernsehen arbeitet.
Plural	**Die** Leute sind sehr bekannt.	Das sind die Leute,	**die** sehr bekannt sind.

Formen Relativpronomen im Nominativ = Formen bestimmter Artikel im Nominativ

Relativpronomen: Akkusativ

K12

maskulin	Ich kenne **den** Mann.	Das ist der Mann,	**den** ich kenne.
neutrum	Ich kenne **das** Kind.	Das ist das Kind,	**das** ich kenne.
feminin	Ich kenne **die** Frau.	Das ist die Frau,	**die** ich kenne.
Plural	Ich kenne **die** Leute.	Das sind die Leute,	**die** ich kenne.

Formen Relativpronomen im Akkusativ = Formen bestimmter Artikel im Akkusativ

Adjektive

Komparativ und Superlativ

K3

	Komparativ	**Superlativ**
billig	billig**er**	**am** billig**sten**
groß	größ**er**	**am** größ**ten**
teuer	teur**er**	**am** teuer**sten**
gut	**besser**	**am besten**
gern	**lieber**	**am liebsten**
viel	**mehr**	**am meisten**

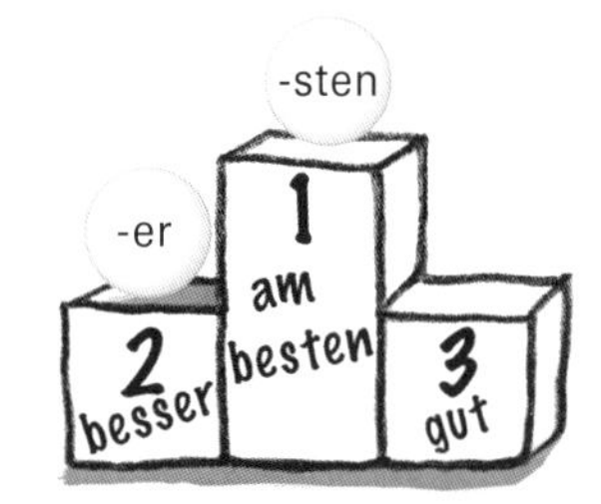

Vergleiche

K3

Mein Smartphone ist für mich **wichtiger als** mein Laptop.

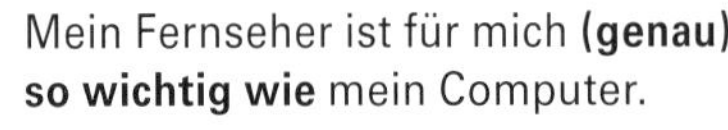

Mein Fernseher ist für mich **(genau) so wichtig wie** mein Computer.

Mein Handy ist **nicht so wichtig wie** mein Laptop.

Adjektive nach dem bestimmten Artikel

K4

	maskulin	**neutrum**	**feminin**	**Plural**
Nominativ	der alt**e** Hafen	das toll**e** Konzert	die gut**e** Show	die klein**en** Schiffe
Akkusativ	den alt**en** Hafen	das toll**e** Konzert	die gut**e** Show	die klein**en** Schiffe
Dativ	dem alt**en** Hafen	dem toll**en** Konzert	der gut**en** Show	den klein**en** Schiff**en**

Adjektive nach dem unbestimmten Artikel

K5

	maskulin	**neutrum**	**feminin**	**Plural**
Nominativ	der ein alt**er** Hafen	das ein toll**es** Konzert	die eine gut**e** Show	die klein**e** Schiffe
Akkusativ	den einen alt**en** Hafen	das ein toll**es** Konzert	die eine gut**e** Show	die klein**e** Schiffe
Dativ	dem einem alt**en** Hafen	dem einem toll**en** Konzert	der einer gut**en** Show	den klein**en** Schiff**en**

***kein/keine* und *mein, dein, ...*:**

Im Singular wie nach dem **unbestimmten** Artikel: Das ist ein/kein/sein schön**es** Restaurant.
Im Plural wie nach dem **bestimmten** Artikel: Das sind die/keine/unsere günstig**en** Preise.

Präpositionen

Wechselpräpositionen: *in, an, auf, neben, zwischen, über, unter, vor, hinter* K2

Wohin? ➲ **Präposition + Akkusativ**		**Wo?** ⊙ **Präposition + Dativ**	
Wohin hast du meine Tasse gestellt?		**Wo** ist die Tasse?	
der Schrank	→ **In den** Schrank.	der Schrank	→ **Im** Schrank.
das Regal	→ **Auf das** Regal.	das Regal	→ **Auf dem** Regal.
die Tür	→ **Neben die** Tür.	die Tür	→ **Neben der** Tür.
die Zeitungen	→ **Auf die** Zeitungen.	die Zeitungen	→ **Auf den** Zeitungen.

Positionsverben mit Wechselpräpositionen K2

Wohin?	**Wo?**
stellen: Ich stelle die Tasse **in den** Schrank.	**stehen**: Die Tasse steht **im** Schrank.
legen: Ich habe das Buch **auf den** Tisch gelegt.	**liegen**: Das Buch liegt **auf dem** Tisch.
hängen: Ich habe das Bild **an die** Wand gehängt.	**hängen**: Das Bild hängt **an der** Wand.

ohne + Akkusativ, *mit* + Dativ K5

Was konnte sie **ohne** ihr**e** Arbeit tun?
Mit ihr**er** Idee will Christina Geld verdienen.

Lokale Präpositionen: *an ... vorbei, bis zu, gegenüber, durch, ... entlang, um ... herum* K6

mit Dativ	**mit Akkusativ**
an ... vorbei, bis zu, gegenüber	durch, ... entlang, um ... herum
Lara geht **an der** Brücke **vorbei**.	Dann geht sie **durch den** Park.
Sie geht **bis zum** Fluss.	Nach der Brücke geht sie **den** Fluss **entlang**.
Ihre Freundin wohnt **gegenüber der** Bäckerei	Sie geht noch **um die** Kirche **herum**.

Temporale Präpositionen K7

mit Akkusativ	**mit Dativ**
bis ein Uhr	**ab** dem ersten Juni
über eine Stunde	**an** manchen Tagen
um zehn Uhr	**seit** vier Jahren
	vor einem Jahr
	nach dem Unterricht

Fragewörter

W-Fragen mit Präposition K11

Mit **Präposition** + **Fragewort** fragt man nach Personen.	**Über wen** ärgert sich Markus? Über den Lehrer. **Mit wem** hat er gesprochen? Mit Tom.
Mit ***wo(r)*** + **Präposition** fragt man nach Dingen und Ereignissen.	**Worüber** ärgert sich Markus? Über die Prüfung. **Worauf** freut er sich? Auf den Ausflug.

Wenn die Präposition mit Vokal beginnt, braucht man ein „r". Beispiel: wo**r**über, wo**r**auf, ...

Sätze verbinden

Nebensatz mit *dass*

K1, 3, 4, 12

Hauptsatz	Nebensatz			
Es ist gut,	**dass**	es Internet	**gibt.**	Präsens
Er freut sich,	**dass**	sein Freund	**anruft.**	trennbares Verb
Sie hat gesagt,	**dass**	sie so viel	arbeiten **muss.**	mit Modalverb
Ich bin froh,	**dass**	ich immer	aufgepasst **habe.**	Perfekt
	Konnektor		Satzende: Verb	

Nebensatz mit *als* oder *wenn*

K9

Hauptsatz	Nebensatz		
Vera freut sich,	**wenn**	Melly sie	**besucht.**
Vera hat immer geholfen,	**wenn**	Melly ein Problem	**hatte.**
Melly war noch in Fribourg,	**als**	sie den Umzug	vorbereitet **hat.**

Im Präsens verwendet man immer *wenn*.
Für mehrmalige Ereignisse in der Vergangenheit verwendet man *wenn*.
Nebensätze mit *als* verwendet man für einmalige Ereignisse in der Vergangenheit.

Nebensatz mit *damit* oder *um ... zu*: Absichten ausdrücken

K12

	Absicht *(wozu?)*		
Der Gastgeber bietet mehrmals Essen an,	**damit**	**alle Gäste** satt	**werden.**
Subjekt Satz 1	≠	Subjekt Satz 2: *damit*	
Man sagt zuerst „nein“,	**damit** **um**	**man** nicht unhöflich nicht unhöflich	**wirkt.** **zu wirken.**
Subjekt Satz 1	=	Subjekt Satz 2: *damit* oder *um ... zu*	

Indirekte Fragesätze: W-Fragen

K6

Direkte Frage	Hauptsatz	Indirekte Frage / Nebensatz		
„**Warum** steht der Zug?“	Der Mann fragt,	**warum**	der Zug	**steht.**
„**Wann** bin **ich** am Flughafen?“	Die Frau will wissen,	**wann**	**sie** am Flughafen	**ist.**
		Konnektor (Fragewort)		Satzende: Verb

Indirekte Fragesätze: Ja-/Nein-Fragen mit *ob*

K6

Direkte Frage	Hauptsatz	Indirekte Frage / Nebensatz		
„**Ist** das Navi wirklich so einfach?“	Marius möchte wissen,	**ob**	das Navi wirklich so einfach	**ist.**
„**Kommst du** zum Essen?“	Marius fragt Tom,	**ob**	**er** zum Essen	**kommt.**
		Konnektor		Satzende: Verb

Etwas begründen: *denn, weil*

K1, K7

Hauptsatz	Hauptsatz			
Er sollte weniger Kaffee trinken,	**denn**	Kaffee	**macht**	nervös.
Sie sollte in der Prüfung nachfragen,	**denn**	so	**kann**	sie Zeit gewinnen.
	Konnektor		Verb	

Hauptsatz	Nebensatz		
Er sollte weniger Kaffee trinken,	**weil**	Kaffee nervös	**macht.**
Sie sollte in der Prüfung oft nachfragen,	**weil**	sie so Zeit	gewinnen **kann.**
	Konnektor		Satzende: Verb

Folgen ausdrücken: *deshalb, trotzdem*

K8

Konsequenz / erwartete Folge

Hauptsatz	Hauptsatz	Hauptsatz	Hauptsatz		
Ich spiele gut Tennis. →	Ich gewinne oft.	Ich spiele gut Tennis,	**deshalb**	gewinne	**ich** oft.

Widerspruch / nicht erwartete Folge

Ich spiele gut Tennis. ↛	Ich verliere oft.	Ich spiele gut Tennis,	**trotzdem**	verliere	**ich** oft.
			Konnektor	Verb	Subjekt

Nebensatz vor Hauptsatz

K4

Nebensatz				Hauptsatz	
Wenn	das Wetter schlecht	**ist,**	(dann)	**bin**	ich unglücklich.
Weil	ich viel	arbeiten **muss,**		**bin**	ich abends müde.
Als	ich 14 Jahre alt	**war,**		**bin**	ich nach Berlin gefahren
Konnektor		Verb		Verb	

Relativsätze

K10, K12

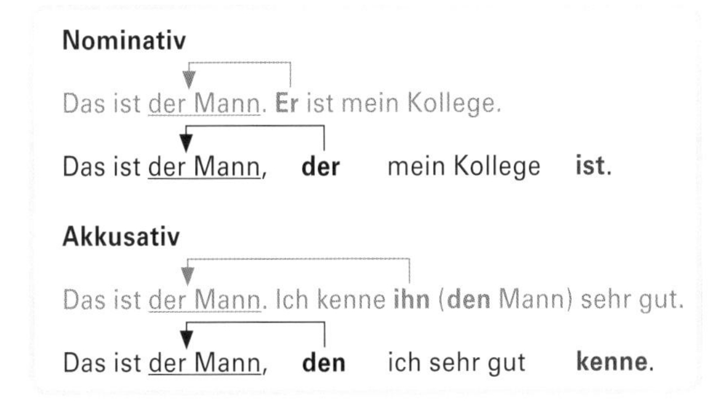

Eingeschobene Relativsätze

K10, K12

Der Mann steht dort. Er ist mein neuer Kollege.

Der Mann,	**der**	dort	**steht,**	ist mein neuer Kollege.

Ich kenne den Mann seit gestern. Der Mann ist mein neuer Kollege.

Der Mann,	**den**	ich seit gestern	**kenne,**	ist mein neuer Kollege.

Alphabetische Wortliste

So geht's:
Hier finden Sie alle Wörter aus den Kapiteln 1–12 von **Netzwerk** Kursbuch A2.
Die fett markierten Wörter sind besonders wichtig. Sie brauchen sie für den Test „Start Deutsch" 1 und 2.
Diese Wörter müssen Sie also gut lernen. **Aufenthalt**, der, -e 4/12
Ein Strich unter einem Vokal zeigt: Sie müssen den Vokal lang sprechen. Abendkurs, der, -e 2/12b
Ein Punkt bedeutet: Der Vokal ist kurz. Abfahrt, die, -en AB 5/3a
Ein Strich nach einem Präfix bedeutet: Das Verb ist trennbar. Hinter unregelmäßigen Verben finden Sie auch die 3. Person Singular und das Perfekt. **ab|fahren** (fährt ab, ist abgefahren) 4/11a
Oft gibt es weitere grammatische Angaben in Klammern, z. B. bei reflexiven Verben oder Verben mit einer festen Präposition. **ärgern** (sich) (über + Akk.) 1/7b
Für manche Wörter gibt es auch Beispiele oder Beispielsätze. alle (Alle paar Wochen waren Ferien, da konnte ich ausschlafen.) 2/3a
Manche Wörter findet man im Arbeitsbuch, sie sind mit „AB" gekennzeichnet: **Ampel**, die, -n AB 6/1
In der Liste stehen keine Personennamen, keine Zahlen, keine Städte und keine grammatischen Formen.

So sieht's aus:

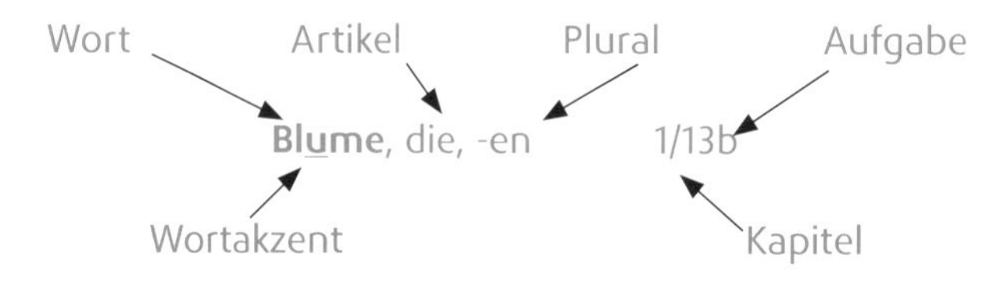

Abbildung, die, -en 10/13b
Abendkurs, der, -e 2/12b
Abend-Programm, das, -e 5/5a
Abenteuer, das, – 11/11a
aber (1) (Hilfst du mir? – Aber gern.) 1/1a
aber (2) (Da ärgert sich aber jemand!) 1/7b
ab|fahren (fährt ab, ist abgefahren) 4/11a
Abfahrt, die, -en AB 5/3a
ab|fliegen (fliegt ab, ist abgeflogen) AB 6/7c
Abflug, der, Abflüge AB 6/7c
ab|geben (gibt ab, hat abgegeben) 10/5b
ab|hängen (hängt ab, hat abgehangen) 11/13b
Abitur, das (Singular) 2/3a
Abiturzeugnis, das, -se 4/1a
ab|lehnen 8/8d
ab|lesen (liest ab, hat abgelesen) 10/8a
ab|malen 10/12b
ab|melden 9/7a
ab|nehmen (nimmt ab, hat abgenommen) (Wir nehmen Ihnen Ihre Sorgen ab.) 6/6a
Abreise, die (Singular) 9/10b
Absage, die, -n 4/3a
Absatz, der, Absätze 4/11b
ab|schließen (schließt ab, hat abgeschlossen) AB 2/1a
abschließend 12/12a
Abschluss, der, Abschlüsse 2/12a
Abschlussprüfung, die, -en AB 11/1c
Abschnitt, der, -e 4/11a
Absicht, die, -en 12/4d
ab|stellen (Ich stelle mein Fahrrad im Hof ab.) 9/4a
abstrakt 10/12c
Abteil, das, -e 5/3d
ab|wechseln (sich) (mit + Dat.) 4/6a
abwechselnd 1/12c
abwechslungsreich 7/6b
Acht (ohne Artikel, Singular) (Gib Acht: Die Ampel ist rot.) 12/8a
achten (auf + Akk.) 4/7b
Achterbahn, die, -en 4/4b
Actionfilm, der, -e 3/11
afrikanisch 11/13a
akkurat 4/11a
aktuell 3/12b
Album, das, Alben 10/1b
Alkohol, der (Singular) AB 11/1a
alle (Alle paar Wochen waren Ferien, da konnte ich ausschlafen.) 2/3a
allgemein 6/10c
als (Als ich noch in Fribourg war, habe ich meinen Umzug gut vorbereitet.) 9/7b
Altenpfleger, der, – AB 2/1a
Alternative (ohne Artikel, Singular) (Pop, Rock und Alternative sind Musikstile.) 4/6a
Altersangabe, die, -n 5/8a
altmodisch 12/12a
Ampel, die, -n AB 6/1
Amphitheater, das, – AB 10/2a
an ... vorbei 6/8a
an sein 3/7a
an|bieten (bietet an, hat angeboten) 4/11a
Anbieter, der, – 6/10a
Angabe, die, -n 7/7c
Anglistik, die (Singular) 2/12b
Angst, die, Ängste 4/4a
an|klicken 3/1
Ankunft, die, Ankünfte 4/11a
an|lassen (lässt an, hat angelassen) 12/3b
an|machen 1/7c
an|nehmen (nimmt an, hat angenommen) 9/5a
Ansage, die, -n 10/8a
Anschluss, der, Anschlüsse 6/3
ansonsten 6/10a
antik 5/7a
Anwalt, der, Anwälte 5/1a
Apartment, das, -s AB 9/7a
Apfelkuchen, der, – 11/10b
App, die, -s 6/6a
Arbeit, die, -en (Maria schreibt heute eine Arbeit in Geografie.) 7/4a
Arbeitsalltag, der (Singular) 5/13b
Arbeitskollege, der, -n 12/3b
Arbeitsleben, das (Singular) 5/13b
arbeitslos 5/7a
Arbeitsort, der, -e 5/9a
Arbeitsplan, der, -pläne 7/4a
Arbeitsstelle, die, -n 2/12b
Arbeitsteilung, die (Singular) 5/13b
Arbeitsverhältnis, das, -se 5/13b
Arena, die, Arenen AB 10/2a
ärgerlich 4/9a
ärgern (sich) (über + Akk.) 1/7b
Arme, der/die, -n 2/3a
Art, die, -en 8/12b
Arztkittel, der, – 5/7a
Arztpraxis, die, -praxen AB 11/1a
Aspekt, der, -e 5/9a
Äthiopien 12/1a
auch wenn 12/4a
Audioguide, der, -s 10/12b
auf (Auf zum Sport!) 8/8a
auf keinen Fall 12/4a
Aufenthalt, der, -e 4/12
auf|fallen (fällt auf, ist aufgefallen) 10/13b
aufgeregt 10/11a
auf|machen 1/13b
auf|passen 3/7a
aufregen (sich) (über + Akk.) 1/7b
aufregend 4/5
auf|schlagen (schlägt auf, hat aufgeschlagen) (Schlagen Sie bitte das Buch auf.) 9/6

auf|stellen (sich) 5/10a
Auftrag, der, Aufträge 7/6b
Auge, das, -n 1/13b
Au-pair, das, -s 2/1b
aus (Von mir aus gern.) 11/8a
Ausbildung, die, -en 1/5a
Ausdruck, der, Ausdrücke 4/3b
aus|geben (gibt aus, hat ausgegeben) 9/12a
Aushilfe, die, -n 7/10a
aus|kennen (sich) (mit + Dat.) (kennt sich aus, hat sich ausgekannt) 9/7b
Auskunft, die, Auskünfte 5/4b
Ausland, das (Singular) 4/11a
Ausländer, der, – 3/12a
aus|leihen (leiht aus, hat ausgeliehen) 8/10a
Ausnahme, die, -n 12/8a
aus|räumen 9/5a
aus|richten 5/12b
aus|ruhen (sich) AB 1/7a
aus|schalten 5/11b
aus|schlafen (schläft aus, hat ausgeschlafen) 2/3a
außen 2/10a
außer (1) (+ Dat.) (Niemand ist pünktlich außer mir.) 4/11a
außer (2) (Frau Sommer ist heute außer Haus.) 5/12b
außerdem 6/10a
äußern 1/1a
aus|sprechen (spricht aus, hat ausgesprochen) 4/3b
aus|suchen 11/11a
Austausch, der (Singular) 5/13b
aus|tauschen (sich) (über + Akk.) 5/13c
aus|teilen 11/4b
ausverkauft 10/9c
aus|ziehen (zieht aus, hat ausgezogen) (In Deutschland zieht man als Gast nicht automatisch die Schuhe aus.) 12/3b
automatisch 12/8a
Autor, der, -en 5/9b
Babykleidung, die, -en 4/1a
backen (backt, hat gebacken) 1/2c
Bahn, die, -en AB 5/3a
Bahncard, die, -s 5/3d
Bahn-Mitarbeiter, der, – 5/4b
Bahnsteig, der, -e AB 5/3a
Balance, die (Singular) 5/13b
balancieren 8/10a
Ball, der, Bälle (Kommst du heute Abend mit auf den Ball?) 2/10a
Bällchen, das, – 8/5a
Ballkleid, das, -er 12/12a
Band, die, -s 4/6a
Bankkaufmann, der, -männer 2/12b
Bär, der, -en 9/12a
Bärchen, das, – 9/12a
bauen 8/13b
Bauernhof, der, -höfe 9/1a
Baum, der, Bäume 8/12c
bayrisch 10/1b
Beamte, der, -n 12/8a
bedanken (sich) (bei + Dat.) 4/3b
Bedauern, das (Singular) 4/1a
Bedienung, die (Singular) (Das Programm hat eine einfache Bedienung.) 6/6a
beeilen (sich) 1/7b
beeindrucken 12/1a
befreundet 12/8a
befürchten 6/14b
Begegnung, die, -en 6/13b
begeistert 8/5a
Begeisterung, die (Singular) 8/3d
begleiten 7/6b
begründen 1/10a
begrüßen 1/2c
Behälter, der, – 8/12c
beide 3/2a
Beitrag, der, Beiträge 2/5a
bekannt 4/6a
Bekannte, der/die, -n 12/9b
beleidigt 12/12a
bellen 9/4a
belohnen 7/4d
benehmen (sich) (benimmt sich, hat sich benommen) 8/5a
Benehmen, das (Singular) 12/5
benutzen 1/12b
Benzin, das (Singular) 6/7
bereit|legen 5/11b
bereuen 5/7a
Berufsleben, das (Singular) 2/12b
Berufsschule, die, -n AB 2/1a
Berufswechsel, der, – 5/7a
Berufswunsch, der, -wünsche 5/8c
berühmt 3/10a
Beschreibung, die, -en 3/13a
besitzen (besitzt, hat besessen) 5/3d
Besitzerin, die, -nen AB 9/11b
Besonderheit, die, -en 8/13b
bestehen (besteht, hat bestanden) (Ich habe zum Glück jede Prüfung bestanden.) 4/4c
bestens (Wie geht's dir? – Alles bestens.) 11/9a
bestimmen 5/13b
Bestsellerliste, die, -n 10/1b
betonen 11/9d
betreuen 5/13b
Betreuungsplatz, der, -plätze 5/13b
betrunken AB 11/1a
Beutel, der, – 1/13b
bewohnt 9/1a
Bibliothek, die, -en 11/2a
Bildschirm, der, -e AB 3/1a
Bis dann! 6/1a
bisher 9/3b
Bitte, die, -n 9/5c
bitter AB 1/1b
Blatt, das, Blätter 2/11a
Blatt, das, Blätter (Im Herbst liebe ich die roten Blätter an den Bäumen.) 10/13a
Bleistift, der, -e 9/6
blicken (Ich blick's nicht.) 7/3a
blind 1/12b
Blogeintrag, der, -einträge 4/11a
bloggen 3/1
Blogger, der, – 12/12b
Blume, die, -n 1/13b
Blumenstrauß, der, -sträuße 4/1a
Blut, das (Singular) AB 11/1a
bluten AB 11/1a
Bohne, die, -n 1/7c
Bonbon, das, -s 1/13b
böse 4/5
Brautpaar, das, -e 4/3a
Breite, die, -n 9/1a
bremsen AB 6/7c
Briefkasten, der, -kästen 9/5c
Brücke, die, -n 6/8a
Buchverlag, der, -e 3/9a
Budget, das, -s 10/1b
Bundesland, das, -länder 2/12a
Cache, der, -s 8/12c
Carsharing, das (Singular) 6/10a
CD-Laufwerk, das, -e AB 3/1a
CD-ROM, die, -s AB 3/1a
Chance, die, -n 8/5a
Chaos, das (Singular) 6/4b
checken (Ich checke täglich meine E-Mails.) 3/1
Checkliste, die, -n 7/3a
Chemie (ohne Artikel, Singular) 2/12b
Cousine, die, -n 9/10a
Currywurst, die, -würste 1/1a
da (Ich habe da einen Vorschlag: …) 8/8d
dabei 5/13b
dabei sein 6/1a
Dach, das, Dächer 9/1a
dadurch 5/13b
dafür 4/11a
dahinter 10/13a
damals AB 10/2a
Dame, die, -n 5/5a
damit 5/13b
damit (Nimm nicht zu viel vom Kuchen, damit du nicht unhöflich wirkst.) 12/4c
danken 4/3d
Dankeskarte, die, -n 4/3a
daran 4/11a
dass 3/7a
Datei, die, -en 3/1
Daten, die (Plural) 6/6c
Dauer, die (Singular) 2/12b
dazu 3/13c
Deal, der, -s 6/6a
decken (Deck doch schon mal den Tisch.) 1/1a
dekorieren 12/1a
denn (Auch Prüfer sind oft nervös, denn sie müssen sich sehr konzentrieren.) 7/4a
deuten 10/13a
deutlich 5/11b
deutschsprachig 10/7
Dingsbums, das (Singular) 3/10b
Diplomarbeit, die, -en 12/3b
Disco, die, -s 2/11a
diskutieren (über + Akk.) AB 11/9a
Distanz, die, -en 12/8a
Disziplin, die (Singular) 7/1c
doch (Willst du nicht probieren? – Doch, gern.) 1/1a
Doktor, der, Doktoren 7/6b
dolmetschen 7/6b
domestiziert 4/10b
Dorf, das, Dörfer 9/1a
Dose, die, -n 8/12c
downloaden 3/1
Drehbuch, das, -bücher 7/6b
drehen (Sönke Wortmann hat viele Filme gedreht.) 10/9a
dringend 7/4a
drüben 10/11a
Drucker, der, – AB 3/1a
dumm 10/12c
dunkel- (Ein Wildschwein auf dem Bild ist dunkelblau.) 10/13b
Dunkeldinner, das, – 1/12a
Dunkelheit, die (Singular) 1/12b
Dunkelrestaurant, das, -s 1/12d
Dunkle, das (Singular) (Was ist beim Essen im Dunkeln schwierig?) 1/12b
durch|atmen 7/4a
durcheinander|gehen (geht durcheinander, ist durcheinandergegangen) 7/3a
Durchsage, die, -n AB 5/3a
Durchschnitt, der, -e 3/12b
durchsichtig 6/14b
Durchwahl, die, -en 5/12b
Durst, der (Singular) 1/1a
duzen 12/8a
DVD-Laufwerk, das, -e AB 3/1a
ebenfalls 9/10a
E-Book, das, -s 3/2b
Ecke, die, -n 10/13a
effektiv 11/13b
egal 1/1a
eher 3/12b
Eigenschaft, die, -en 12/13
ein|bauen 11/13c
Eindruck, der, Eindrücke 1/12b
einfach (1) (Das muss einfach sein!) 1/1a
einfach (2) (Einfach oder hin und zurück?) 5/4b
ein|fallen (fällt ein, ist eingefallen) 7/3a
Einführung, die, -en 10/12b
Eingang, der, Eingänge 9/4a
ein|geben (gibt ein, hat eingegeben) 6/6a
ein|gehen (geht ein, ist eingegangen) (Auf welchen Punkt sollen wir in der Diskussion eingehen?) 12/11b
ein|halten (hält ein, hat eingehalten) 7/3a
ein|kochen 7/10a
Einleitung, die, -en 7/12b
ein|lenken 9/4b
einmalig 9/8c
ein|planen 7/4b
ein|reiben (reibt ein, hat eingerieben) 2/3a
einsam 7/6b
Einsatz, der, Einsätze 10/8a
ein|schalten 6/6c
Eintrag, der, Einträge 2/3a
einverstanden 6/8a
Einwohner, der, – 9/1a
ein|zeichnen 6/8c
ein|ziehen (zieht ein, ist eingezogen) 9/7a

einzig 12/3b
Elefant, der, -en 6/14b
elektrisch AB 9/7a
Elektrokonzern, der, -e 5/7a
Elektrotechnik, die (Singular) AB 2/1a
Emotion, die, -en 4/4a
emotional 4/9a
empfehlenswert 3/12b
eng AB 9/4a
engagieren (sich) (für/gegen + Akk.) 11/1a
Englischlehrerin, die, -nen 2/3a
Enkel, der, – 3/12a
Ente, die, -n 9/14a
entfernt 9/1a
entlang|gehen (geht entlang, ist entlanggegangen) 6/8a
entscheiden (sich) (für/gegen + Akk.) (entscheidet sich, hat sich entschieden) 2/12b
entspannen (sich) 7/3b
entspannt 5/5a
entstehen (entsteht, ist entstanden) AB 10/2a
enttäuscht 2/10a
Enttäuschung, die, -en 8/3d
entweder … oder … 6/10a
entwerfen (entwirft, hat entworfen) 11/12b
Erde, die (Singular) 8/12c
Erdhörnchen, das, – 9/13a
Ereignis, das, -se 4/1a
erfinden (erfindet, hat erfunden) 4/5
erfolgreich 5/7a
erfragen 6/1a
erfüllen (sich) 5/7a
Ergebnis, das, -se 1/12e
Erholung, die (Singular) 7/4a
erinnern (sich) (an + Akk.) 1/13d
Erinnerung, die, -en 2/3a
erkennen (erkennt, hat erkannt) 1/12b
Erklärung, die, -en 8/12b
erlauben AB 9/7a
erleben 4/10b
Erlebnis, das, -se 1/12b
erledigen 11/5a
Ermäßigung, die, -en 5/5a
Erntedankfest, das, -e 12/2a
erraten (errät, hat erraten) 4/1a
erreichbar 5/13b
erreichen 6/7
Ersatzteil, das, -e 6/14b
erscheinen (erscheint, ist erschienen) 10/1b
erschließen (erschließt, hat erschlossen) 11/11a
erstens 7/12b
erwachsen 2/3a
Erwachsene, der/die, -n 12/8a
erwarten 5/5a
Erwartung, die, -en 7/10b
etc. 6/10a
etwa 6/11a
etwas (Auf dem Dorf ist alles etwas kleiner als in der Stadt.) 9/7b
ewig 6/4a
exakt 10/12c
existieren 5/13b

extra 1/7c
Fach, das, Fächer 2/12b
Fähigkeit, die, -en 5/13b
Fahrgast, der, -gäste 5/4b
Fahrkartenschalter, der, – 5/4b
Fahrplan, der, -pläne AB 5/3a
Fahrradreise, die, -n 6/14a
Fall, der, Fälle (In dem Fall ist das Auto billiger.) 6/10a
fallen (fällt, ist gefallen) 4/8b
Fallschirm, der, -e 8/1d
familienfreundlich 5/13b
Fan, der, -s 8/3a
Fanartikel, der, – 8/3a
fantastisch 5/5a
Fantasy-Film, der, -e 3/11
faszinieren 7/6b
faxen 9/7b
Fehler, der, – 2/3a
Feldhase, der, -n 10/12b
Ferien, die (Plural) 2/3a
Ferienclub, der, -s 2/12b
Ferienwohnung, die, -en 9/1a
Fernfahrer, der, – 5/7a
Fernsehen, das (Singular) 1/7a
Fernsehgerät, das, -e 3/2b
Fernsehsender, der, – 11/11a
Fernsehturm, der, -türme AB 10/2a
fest 2/9a
Festival, das, -s 4/6a
fest|stellen 10/8a
Fete, die, -n AB 11/1c
fett (1) (Currywurst ist so fett!) 1/1a
fett (2) (Ungesundes Essen macht fett.) AB 1/1b
Feuer, das, – AB 9/4a
Feuerwehr, die, -en AB 9/4a
Feuerwerk, das, -e 4/6b
Filmregisseur, der, -e 10/8a
Filmteam, das, -s 11/11a
Finale, das, – 10/9c
fit (fitter, am fittesten) 5/5a
Fläche, die, -n 9/1a
flexibel (flexibler, am flexibelsten) 6/10a
Flexibilität, die (Singular) 5/13b
fließend (Auf dem Bauernhof gibt es kein fließendes Wasser.) 11/11a
flüstern 3/6c
föhnen 5/1a
Folge, die, -n 8/5a
folgen (folgt, ist gefolgt) 1/9b
folgend 5/9a
formulieren 1/8
Formulierung, die, -en 3/12c
Forum, das, Foren 2/11a
Forumstext, der, -e 7/5
Fotomontage, die, -n 9/13a
Foyer, das, -s 6/1a
Frauenchor, der, -chöre 10/1b
freiberuflich 7/6b
Freiheit, die, -en 5/7a
freiwillig 5/13b
Freude, die, -n 4/1a
freuen (sich) 1/9a
Freundschaft, die, -en 4/10d
froh 3/7c
fröhlich 4/9a
Frucht, die, Früchte 7/10a

früher 5/5a
führen (1) (Ich führe dich an der Hand.) 1/12b
führen (2) (Sina führt ein Gespräch mit ihrem Chef.) 5/11a
Führerschein, der, -e 4/1a
Führerscheinprüfung, die, -en 4/1a
Führung, die, -en 10/1d
füllen 11/11a
Fußballer, der, – 3/9a
Fußballfan, der, -s 8/3b
Fußballfilm, der, -e 10/9c
Fußballprofi, der, -s 3/9a
Fußballschal, der, -s 8/3a
Futter, das, – 9/12b
füttern 9/5c
Gang, der, Gänge (Gang oder Fenster?) 5/4b
gar 1/12b
Garage, die, -n AB 6/7c
Gastarbeiter, der, – 3/12a
Gastfreundschaft, die (Singular) 12/1a
Gastgeber, der, – 12/4a
Gastgeberin, die, -nen 12/1a
Gastraum, der, -räume 1/12b
Gebärdendolmetscher, der, – 7/6b
Gebäude, das, – 9/1a
geben (1) (gibt, hat gegeben) (Kannst du mir das Brot geben, bitte?) 1/1a
geben (2) (gibt, hat gegeben) (Auf dem Festival geben viele Bands Konzerte.) 4/6a
Gebühr, die, -en 6/10a
Geburt, die, -en 4/1a
Geburtstagsfeier, die, -n 4/3c
Geburtstagsparty, die, -s 12/3b
Gedanke, der, -n 1/12b
Geduld, die (Singular) 11/13b
Gefahr, die, -en 3/7a
gefährlich 3/8
Gefallen, der, – (Kannst du mir einen Gefallen tun und heute Abend meine Katze füttern?) 9/5c
Gefühl, das, -e 1/1a
gegen (1) (+ Akk.) (Markus tauscht seinen Kittel gegen einen Overall.) 5/7a
gegen (2) (+ Akk.) (Ich bin gegen Autos, weil …) 6/10c
Gegensatz, der, -sätze 4/10c
Gegenstand, der, -stände 1/13b
gegenüber (+ Dat.) 6/8a
Gegenvorschlag, der, -vorschläge 11/8a
gehen (um + Akk.) (geht, ist gegangen) (In dem Film geht es um eine Familie aus der Türkei.) 3/12a
gehören AB 9/7a
gehörlos 7/6b
Gehörlose, der/die, -n 7/6b
Gelände, das, – 8/12c
gelten (gilt, hat gegolten) 12/8a
gemacht (Dieser Film ist echt gut gemacht.) 10/12c
gemeinsam 1/13a

genau (Ich weiß nicht so genau.) 1/12b
genauso 3/5a
Generationenprojekt, das, -e 7/10a
generell 12/8a
genervt 6/4b
genial 9/1a
Geocache, der, -s 8/12b
Geocache-Behälter, der, – 8/12c
Geocache-Inhalt, der, -e 8/12c
Geocacher, der, – 8/12c
Geocaching, das (Singular) 8/12a
geografisch 8/12b
Gepäck, das (Singular) AB 5/3a
gerecht 7/4a
Gericht, das, -e (Tom dolmetscht oft im Gericht oder auf dem Standesamt.) 7/6b
Geruch, der, Gerüche 1/12b
Geschäftsreise, die, -n 5/3a
Geschichte, die (Singular) (Die Geschichte von Wiesbaden ist sehr spannend.) 5/5a
Geschirr, das (Singular) AB 1/7a
Geselle, der, -n 12/1a
gespannt 6/7
gestalten 5/7a
gestresst 4/9a
gewöhnen (sich) (an + Akk.) 1/12b
gierig 12/4a
gießen (gießt, hat gegossen) 9/5c
Gitarre, die, -n 7/1c
glatt|gehen (geht glatt, ist glattgegangen) 10/8a
gleichzeitig 8/12c
Gleis, das, -e AB 5/3a
Gleitschirm, der, -e AB 8/1a
Gliederung, die, -en 7/12b
Glückwunsch, der, -wünsche 4/3a
Glückwunschkarte, die, -n 4/3a
Gold, das (Singular) 11/13a
GPS-Gerät, das, -e 8/12b
Grad, das, -e 8/12c
Graffito, der, Graffiti 10/13b
Grafiker, der, – 5/1a
Gras, das, Gräser 11/13a
gratulieren 4/3a
griffbereit 6/14b
Grippe, die, -n 7/4a
großartig 5/5a
Großraumwagen, der, –/-wägen 5/4b
Grund, der, Gründe 4/11a
gründen 5/7a
Grundschule, die, -n 2/12b
Gute, das (Singular) (Kommt heute was Gutes im Fernsehen?) 1/7c
gut|machen 4/8b
halten (hält, hat gehalten) (Was hältst du von meiner Idee?) 8/8d
Hammer, der, – 5/1a
Handbewegung, die, -en 5/2
handeln (von + Dat.) 4/10d
Handkuss, der, -küsse 12/12a

Luft, die (2) (meist Singular) (Die Luft ist frisch und sauber.) 9/1a
lügen (lügt, hat gelogen) AB 11/1a
lustig machen (sich) (über + Akk.) (Der Film macht sich über Vorurteile lustig.) 3/12a
Maibaum, der, -bäume 12/2a
Maler, der, – 10/12b
Malerei, die, -en 10/12a
Mama, die, -s 6/4a
manche 3/7a
Männerchor, der, -chöre 10/1b
Mannschaft, die, -en 8/5a
Maracuja-Joghurt, der/das, -s 11/11a
Märchenschloss, das, -schlösser 10/1b
Mathe (ohne Artikel, Singular) 2/3a
Mathelehrer, der, – 2/3a
Mauer, die, -n AB 8/1b
Maus, die, Mäuse AB 3/1a
Mäuschen, das, – 9/12a
Mausi (ohne Artikel) 9/12a
Medaille, die, -n 4/1a
Medien, die (Plural) 3/1a
Medium, das, Medien 10/8a
Medizin, die (Singular) 5/7a
Meerschweinchen, das, – AB 9/11b
Mehl, das, -e 2/8a
mehrere 5/13b
Mehrwertsteuer, die, – AB 10/4a
Meinung, die, -en 3/7a
Meisterprüfung, die, -en 7/3a
meistverkauft 10/1b
melancholisch 4/10a
Mensa, die, Mensen 1/1c
Mensch (ohne Artikel, Singular) (Mensch, habe ich einen Hunger!) 1/1a
Menü, das, -s 1/12b
mieten 6/10a
Mikrowelle, die, -n 1/1a
Minustemperaturen, die (Plural) 8/12c
mischen 2/5b
mit|lesen (liest mit, hat mitgelesen) 10/11a
mit|nehmen (nimmt mit, hat mitgenommen) 4/11a
Mitstudent, der, -en 9/7c
Mittagspause, die, -n 11/5b
Mitternacht (ohne Artikel, Singular) 7/6b
Möbelwerkstatt, die, -stätten 5/7a
möbliert AB 9/7a
Moderatorin, die, -nen 10/8a
moderieren 10/10a
modisch 9/12b
möglich 3/7a
möglichst 5/13b
Morgenstunde, die, -n 11/13a
motivieren 7/4d
Motor, der, -en AB 6/1
Müll, der (Singular) AB 9/4a
Mülltonne, die, -n AB 9/4a
Multicache, der, -s 8/12c
mündlich 7/3a
Musiker, der, – 8/6
Musikereignis, das, -se 5/5a
Musikfan, der, -s 4/6a
Musikfest, das, -e 4/6a
Musikgeschichte, die (Singular) 10/1b
Musikstil, der, -e 4/6a
Muskel, der, -n AB 8/1b
Muss, das (Singular) 4/6a
na gut (Na gut, ist nicht so schlimm.) 9/4b
na ja (Na ja, wenn das so ist, dann akzeptiere ich das.) 9/4b
Nachbarschaft, die, -en 9/5a
nach|denken (über + Akk.) (denkt nach, hat nachgedacht) 6/10a
nach|fragen 7/4a
nachher 1/4b
Nachrichten, die (Plural) (Hast du heute die Nachrichten schon gehört?) 10/8a
Nachrichtensprecher, der, – 10/8a
näher (Ich kenne meine Kollegen leider nicht näher.) 12/8a
nämlich 2/12b
Natur, die (Singular) 8/12c
Naturwanderung, die, -en 8/12c
Navigationsgerät, das, -e 6/9a
Navigationssystem, das, -e 6/6a
nehmen (nimmt, hat genommen) (Zur Arbeit nehme ich den Bus.) 6/11a
nervig 6/4a
netto AB 10/4a
Netz, das (Singular) (Stell nicht zu viele Informationen ins Netz!) 3/7a
neugierig 3/13b
Neujahr (ohne Artikel) 12/1a
Neujahrsfest, das, -e 12/1b
neulich 12/3b
neutral 4/7b
Newcomer, der, – 4/6a
nicht nur 3/7a
Niederlage, die, -n AB 8/3a
niemand 4/11a
nirgends 4/11a
nix (nichts) 1/7a
noch mal 6/8a
Norden, der (Singular) AB 9/9b
Not, die, Nöte 6/14b
Note, die, -n AB 2/1a
Notizbuch, das, -bücher 6/14b
nun 12/10b
nur noch 1/12b
nutzen 5/13b
nützlich 3/8
Nymphensittich, der, -e AB 9/11b
ob 6/6a
oben 10/13a
Oberarzt, der, -ärzte 5/7a
Ofen, der, Öfen 12/1a
öffentlich (Ich nehme immer die öffentlichen Verkehrsmittel.) 6/12a
öfter 11/3b
Ohr, das, -en 3/6c
Onkel, der, – 1/5a
Online-Kurs, der, -e 7/1c
Online-Netzwerk, das, -e 3/1
Oper, die, -n 2/10a
Operationssaal, der, -säle 5/7a
Opernball, der, -bälle 12/12a
ordentlich 4/11a
Ordnung (1), die (Singular) AB 12/11a
Ordnung (2), die (Singular) (Das ist schon in Ordnung.) 9/4b
originell 4/10a
Osten, der (Singular) AB 9/9b
Overall, der, -s 5/7a
paar (Alle paar Wochen kann ich aussschlafen.) 2/3a
Päckchen, das, – 9/5c
Panne, die, -n 6/3
Papa, der, -s 6/4b
Papier, das, -e AB 3/1a
Paragliding (ohne Artikel) 8/1a
Parallele, die, -n 5/7c
Parfüm, das, -e/-s 1/13b
Parkhaus, das, -häuser 6/2
Parkour 8/1a
Parkplatz, der, -plätze AB 6/1
passen (Passt schon.) 6/6a
passend 4/11b
Pech, das (Singular) 4/8a
peinlich 4/8b
pendeln (pendelt, ist gependelt) 6/11a
pensioniert AB 11/1c
perfekt 2/12b
Pfanne, die, -n 1/2a
Pferd, das, -e AB 8/1b
Pflanze, die, -n 8/12c
pflegeleicht AB 9/11b
Phase, die, -n 7/6b
Philharmonie, die, -n 6/1a
Physik, die (Singular) 2/12b
Pkw, der, -s AB 6/7c
Plastik, das (Singular) 8/12c
Plastikdose, die, -n 8/12c
Platz, der, Plätze (Tom hat den ersten Platz geschafft.) 4/1a
plötzlich 5/7a
plus 10/1b
poetisch 4/10a
Polizei, die (Singular) AB 6/1
Polizist, der, -en 9/14a
Pop, der (Singular) 4/6a
Portion, die, -en 12/4a
Porträt, das, -s 3/9a
Position, die, -en 5/13b
posten 3/1
Praktikum, das, Praktika AB 2/1a
Preis, der, -e (Unser Projekt hat dieses Jahr einen Preis gewonnen.) 7/10a
Prinzessin, die, -nen 12/12a
privat 3/7a
Privatauto, das, -s 6/10a
Produkt, das, -e 3/9a
Profi, der, -s 8/10a
Programm, das, -e 4/6a
Programm, das, -e (Das Programm im Fernsehen finde ich immer schlechter.) 10/8a
Projektarbeit, die, -en 5/13b
Prominente, der/die, -n 10/8c
Prominenten-Quiz, das, – 10/10a
Prüfer, der, – 7/3a
Punkt, der (1), -e (Zu diesem Punkt möchte ich noch etwas sagen: ...) 7/12b
Punkt, der (2), -e (Für jede richtige Antwort gibt es drei Punkte.) 10/10b
putzen (Ich muss mir ständig die Nase putzen.) 12/4a
Quadratmeter, der, – 9/1a
qualifizieren 5/13b
Qualität, die (Singular) AB 12/11a
Quatsch, der (Singular) 12/12a
Quittung, die, -en AB 10/4a
Quiz-Frage, die, -n 10/10a
Rabatt, der, -e AB 10/4a
Rad, das, Räder 9/4a
Radarkamera, die, -s 6/6c
Radio, das/der, -s 3/1
Radiosendung, die, -en 6/13b
Radiosprecher, der, – 10/8a
Rapper, der, – 3/9a
Ratschlag, der, Ratschläge 7/4d
Ratte, die, -n 9/12b
Rauch, der (Singular) 9/4a
rauchen 1/12b
rauf 1/1a
reagieren (auf + Akk.) 8/8d
Reaktion, die, -en 8/8d
realistisch 3/12b
Realität, die, -en 10/1b
Realschulabschluss, der, -schlüsse 2/12b
Realschule, die, -n 2/12a
recht haben 11/8a
rechtzeitig 6/7
Regisseur, der, -e 10/8c
Reifen, der, – AB 6/1
Reiseleiter, der, – 12/4c
reiten (reitet, ist geritten) 8/1a
Reithelm, der, -e AB 8/1a
Rentner, der, – 11/2a
Rentnerin, die, -nen 11/2a
Reparatur, die, -en AB 6/7c
Reportage, die, -n 7/10b
Reservierung, die, -en 5/5a
richtig (Nach einem Kaffee bin ich richtig wach.) 6/11a
Richtung, die, -en 6/11a
riechen (riecht, hat gerochen) 1/1a
Riesenerfolg, der, -e 10/1b
Riesenspaß, der (Singular) 2/3a
Rindfleisch, das (Singular) 1/7c
Ring, der, -e 4/1a
Rockkonzert, das, -e 10/3a
Rolle, die, -n 10/1b
romantisch 4/10a
Romanze, die, -n 3/11
Römerspiele, die (Plural) AB 10/2a
Römerzeit, die (Singular) AB 10/2a
Rose, die, -n AB 11/1a
rösten 12/1a
Rückfahrt, die, -en 5/3d
rückwärts AB 6/7c
Rückweg, der, -e 9/7c
Ruhe, die (Singular) 5/11b
ruhig (Machen Sie beim Lernen ruhig einen freien Tag pro Woche.) 7/4a
Runde, die, -n 3/6c

salzig AB 1/1b
Sänger, der, – 5/5a
sauber machen 4/8b
sauer (saurer, am sauersten) (Zitronen schmecken sehr sauer.) AB 1/1b
Schalter, der, – AB 5/3a
scharf (schärfer, am schärfsten) AB 1/1b
Schatz, der, Schätze 8/12a
schaukeln 9/1a
Schauspieler, der, – 3/12b
scheinen (scheint, hat geschienen) (Dem Wartenden scheinen Minuten Jahre zu sein.) 11/13a
Schere, die, -n 5/1b
schießen (schießt, hat geschossen) 8/5b
Schildkröte, die, -n AB 9/11b
Schirm, der (1), -e (Nie habe ich einen Schirm dabei, wenn es regnet!) 10/5b
Schirm, der (2), -e (Ich springe aus dem Flugzeug, hoffentlich öffnet sich der Schirm.) AB 8/1b
Schlaf, der (Singular) 7/3a
Schlange, die, -n 6/11c
schlecht 1/1b
schließlich 12/12a
schlimm 4/11a
Schloss, das, Schlösser 10/1b
schlürfen 12/4a
Schlüsselwort, das, -wörter 5/13c
Schmuckstück, das, -e 5/7a
Schneeschuh, der, -e AB 8/1a
Schneeschuhwandern, das (Singular) 8/1a
schön (Mit dem Fahrrad ist Peter ganz schön mobil.) 6/1a
schon lange 2/7a
schon mal 1/1a
schrecklich 2/3a
Schriftsteller, der, – 6/13b
Schritt, der, -e 5/10a
Schulabschluss, der, -schlüsse 2/12b
Schulalter, das (Singular) 12/8a
Schulfreund, der, -e 2/3a
Schulkind, das, -er 12/8b
Schulsystem, das, -e 2/12a
Schultag, der, -e 4/1a
Schultüte, die, -n 4/1a
Schultyp, der, -en 2/12a
Schuluniform, die, -en 2/4a
Schulzeit, die (Singular) 2/1a
schützen 8/12c
Schwan, der, Schwäne 9/14a
schwanger AB 11/1a
Schwein, das, -e 9/12a
Schweinchen, das, – 9/14a
schwierig 1/12b
Sechzigerjahre, die (Plural) 3/12a
Seehöhe, die (Singular) 9/1a
Segelregatta, die, -regatten 4/6a
Segelschiff, das, -e 4/6a
sehbehindert 1/12b
sehen (1) (sieht, hat gesehen) (Mal sehen, was heute im Fernsehen kommt.) 1/7a
sehen (2) (sieht, hat gesehen) (Ich sehe das ganz anders als du.) 2/3a
Sehnsucht, die, -süchte 4/10d
Seite, die, -n (In der linken Seite steckt ein Messer.) 6/14b
Seite, die (Singular) (Wenn ich mir die Nase putzen muss, sehe ich zur Seite.) 12/4a
selbe 10/8a
Selbstauslöser, der, – 9/13a
selbstständig 5/13b
selten 3/2c
Semester, das, – 7/3a
Sendung, die, -en 6/13b
Senior, der, -en 5/5a
Seniorin, die, -nen 7/10d
Servicekraft, die, -kräfte 7/10a
Servus! 2/10a
setzen (sich) 1/7b
Shooting, das, -s 3/9a
Show, die, -s 5/5a
sicher 3/8
Sicherheit, die, -en 5/13b
Sieb, das, -e 1/2a
Sieg, der, -e AB 8/3a
siezen 12/8a
Silvester (ohne Artikel) 12/1a
simsen 3/1
Sinn, der, -e (Lernen Sie mit allen Sinnen.) 1/13a
sinnvoll 11/11a
Sitzplatz, der, -plätze 6/3
skeptisch 3/12a
Ski, der, -er 12/12a
Skifahren, das (Singular) 12/12a
skypen 3/1
Smartphone, das, -s 3/2b
Socke, die, -n 12/3b
sogar 4/11a
sogenannt 8/12b
Solist, der, -en 10/1b
Sommerferien, die (Plural) 2/3a
sondern 10/12b
sondern auch 11/11a
Sorge, die, -n 1/12b
sorgen 7/6b
sortieren 2/6a
spannend 3/12b
sparen AB 11/1c
Spiegel, der, – 7/13a
Spiegelbild, das, -er AB 9/14
spiegeln 9/1a
Spielekonsole, die, -n 3/2b
spielen (1) (Der Film spielt in der Türkei.) 3/12b
spielen (2) (Die Band spielt auf dem Festival.) 4/6a
Sportart, die, -en 8/1c
Sportfan, der, -s 4/6a
Sportfest, das, -e 4/6a
Sportgegenstand, der, -gegenstände 8/2a
Sportgeschäft, das, -e 2/1b
Sportler, der, – 8/6
sportlich 8/1a
Sportstunde, die, -n 2/12b
Sprachenschule, die, -n 4/11a
Spracherfahrung, die, -en 9/8c
Sprachtherapie, die, -n 7/6b
Sprecher, der, – 11/10a
Sprichwort, das, -wörter 11/13a
springen (1) (springt, ist gesprungen) (Ich bin schon mal Fallschirm gesprungen.) 8/1d
springen (2) (springt, ist gesprungen) (Das Erdhörnchen ist einfach vor die Kamera gesprungen.) 9/13a
spülen AB 1/7a
stabil 8/12c
Stadion, das, Stadien 3/9a
Stadtfest, das, -e 4/6a
Stadtrand, der, -ränder 9/2a
Stadtteilauto, das, -s 6/10d
Standesamt, das, -ämter 7/6b
ständig 11/5a
Stapel, der, – 8/11
starr 5/13b
Station, die, -en 1/13a
statt 11/9b
statt|finden (findet statt, hat stattgefunden) 4/6a
Stau, der, -s AB 6/1
Steckbrief, der, -e 2/1c
stecken 6/14b
stehen bleiben (bleibt stehen, ist stehen geblieben) 12/3b
Stehplatz, der, -plätze 10/4a
steigen (steigt, ist gestiegen) 12/9b
Stein, der, -e 9/13a
stellen (1) (Luisa stellt viele Fragen.) 1/4c
stellen (2) (Viele Jugendliche stellen sehr private Informationen ins Netz.) 3/7a
sterben (stirbt, ist gestorben) AB 11/1a
Stern, der, -e 3/12b
Stichpunkt, der, -e 6/13e
Stichwort, das, -wörter 7/10b
Stift, der, -e 5/11b
Stil, der, -e 9/13b
still 3/6c
Stille, die (Singular) 10/8a
Stimme, die, -n 12/9b
Stimmung, die, -en 11/9a
stinken (stinkt, hat gestunken) 9/4a
Stoff, der (Singular) (Für die Prüfung muss ich noch so viel Stoff lernen.) 7/3a
Stoffbeutel, der, – 1/13b
Storch, der, Störche 4/1a
stören 1/7a
Strand, der, Strände 9/2b
Strecke, die, -n 6/6a
streiten (sich) (streitet, hat gestritten) 11/5a
stressfrei 6/6a
Strom, der (Singular) AB 9/7a
Stück, das, -e (Hast du schon das neue Stück von Monika Gruber gesehen?) 10/8a
Stundenplan, der, -pläne 2/12b
superlecker 1/1b
Süden, der (Singular) AB 9/9b
süß AB 1/1b
sympathisch 3/12b
Szene, die, -n 3/12b
Tablet, der/das, -s AB 3/1a
Tagesablauf, der, -abläufe 7/6b
Tango, der, -s 4/11a
Tango-Musik, die (Singular) 4/11a
Tankstelle, die, -n 6/3
Tänzerin, die, -nen 7/8
Taschentuch, das, -tücher 12/4a
Tastatur, die, -en AB 3/1a
tauchen (taucht, ist getaucht) 8/1a
Taucherbrille, die, -n AB 8/1a
tauschen 4/11b
Teamarbeit, die, -en 5/13b
teil|nehmen (nimmt teil, hat teilgenommen) 4/7a
Teilnehmer, der, – 1/2c
Telefongespräch, das, -e 5/11a
Telefonkonferenz, die, -en 5/13b
Telefonzentrale, die, -n 6/10a
Teleprompter, der, – 10/8a
Temperatur, die, -en 8/12c
Terrassentür, die, -en AB 9/14
Theaterfest, das, -e 4/6a
Theatergruppe, die, -n 2/5a
Thriller, der, – 3/11
Ticketkauf, der, -käufe 10/4a
tief (Atme tief durch!) 7/4a
Tier, das, -e AB 8/1b
Tierarzt, der, -ärzte 9/12b
Tierbild, das, -er 10/12b
Tiergeschichte, die, -n 9/14a
Tierheim, das, -e AB 9/11b
Tiermalerei, die, -en 10/12b
Tiername, der, -n 9/12a
Tiertrainer, der, – 5/9a
Tiger, der, – 9/14a
Tischler, der, – 5/1a
Tischlerei, die, -en 5/7a
Tönung, die, -en 5/1a
Topf, der, Töpfe 1/2a
Topform, die (Singular) 8/3d
Tor, das, -e (Beim Fußballspiel sind super Tore gefallen.) 8/5a
tot AB 11/1a
Tourist, der, -en 10/1b
traditionell 2/10a
Trainingsprogramm, das, -e 2/6a
Transport, der, -e 2/6a
Traum, der, Träume 4/3a
Traumberuf, der, -e 3/9a
traurig 1/9a
Treppenhaus, das, -häuser 9/4a
Tresor, der, -e 8/12c
treu (Bleiben Sie uns treu.) 8/5a
Trick, der, -s 7/4a
Trip-Hop, der (Singular) 10/3a
trocken AB 9/4a
trotzdem 7/3a
Tür, die, -en 2/3a
TV-Show, die, -s 10/8a
überall 3/7a
überlegen 6/13b
Überlegung, die, -en 6/7
übermorgen 6/6a
überqueren 9/14a
überrascht 2/4a
überreichen 4/3d
Übersetzer, der, – 7/6b
Übersicht, die, -en 8/10b

überweisen (überweist, hat überwiesen) AB 10/4a
Überweisung, die, -en 10/4a
übrigens 7/4a
Ufer, das, – 9/1a
um ... herum 6/8a
um ... zu (Ich esse die heiße Suppe vorsichtig, um nicht zu schlürfen.) 12/4c
Umbau, der, -ten AB 10/2a
um|drehen (sich) 2/8b
Umfrage, die, -n 3/5a
umrühren 12/4a
Umzug, der, Umzüge 9/7b
Umzugswagen, der, – /wägen 9/7a
unangenehm 4/8b
unbedingt 2/10a
und so weiter (usw.) 8/12c
ungeduldig 6/4a
Unglück, das (Singular) 4/4a
unglücklich 4/4a
unhöflich 12/3b
Universitätsspital, das, -spitäler 5/7a
Univiertel, das, – 2/10a
unmodern 5/13b
unmöglich 6/10a
unpraktisch 6/10a
unsicher 12/3b
Unsicherheit, die, -en 6/1a
Unsinn, der (Singular) 6/10c
unten 4/4c
unter (Unter der Woche habe ich oft keine Zeit für meine Hobbys.) 11/2c
unterhalten (sich) (unterhält sich, hat sich unterhalten) 9/7b
unterhalten (sich) (über + Akk.) AB 11/9a
Unterhaltung, die, -en 10/1a
unternehmen (unternimmt, hat unternommen) 11/4a
Unterricht, der (Singular) 2/3a
unterrichten 4/11a
Unterrichtszeit, die, -en 2/13a
Unterscheidung, die, -en 8/7a
unterschiedlich 9/13b
Untersuchung, die, -en 7/6b
Unterwäsche, die (Singular) 6/14b
unzufrieden 12/3b
usw. 2/11a
Variante, die, -n 4/10f
verändern 2/8b
Veränderung, die, -en 2/8b
Veranstaltung, die, -en 4/7a
verbessern 9/14b
verbinden (mit + Dat.) (verbindet, hat verbunden) (Können Sie mich bitte mit Herrn Winter verbinden?) 5/12b
Verbindung, die, -en 5/13b
verboten 1/12b
verbringen (verbringt, hat verbracht) 3/7a
verfassen (einen Forumseintrag verfassen) 7/1c
Verfilmung, die, -en 10/1b
vergehen (vergeht, ist vergangen) 11/1a
verirren (sich) 9/7b
Verkehr, der (Singular) 4/11a
Verkehrsapp, die, -s 6/6a
Verkehrsmittel, das, – 6/3
verlaufen (verläuft, ist verlaufen) (Das Gespräch verläuft gut.) 5/11b
verliebt 9/14a
verlieren (verliert, hat verloren) 8/4
vermieten AB 9/7a
vermuten 1/10a
Vernetzung, die, -en 5/13b
verplanen 7/4a
verrückt 5/6
verschieben (verschiebt, hat verschoben) 7/3b
verschlafen (verschläft, hat verschlafen) 10/8a
verschwinden (verschwindet, ist verschwunden) 5/13b
Versicherung, die, -en AB 6/7c
Versöhnung, die, -en 3/12a
versprechen (verspricht, hat versprochen) 9/7b
verstauen 6/14b
Versteck, das, -e 8/12b
verstecken 8/12b
versteckt 8/12c
versuchen 8/12c
vertreten (vertritt, hat vertreten) 6/10c
verwenden 3/13b
Video, das, -s 3/1
Videokonferenz, die, -en 5/13b
Vogel, der, Vögel 9/12b
Vokabeltest, der, -s 2/3a
völlig 1/12b
vorbei|gehen (an + Dat.) (geht vorbei, ist vorbeigegangen) 6/8a
vor|bereiten (1) (Tobi bereitet einen Salat vor.) 1/13a
vor|bereiten (2) (sich) (auf + Akk.) (Bereiten Sie sich auf das Gespräch vor.) 5/11b
Vorbereitung, die, -en 2/12b
Vorbild, das, -er 8/5a
Vordergrund, der, -gründe 10/13a
vor|gehen (geht vor, ist vorgegangen) (Ich wollte zum Fußballspiel, aber der Hochzeitstag geht vor.) 10/8a
vor|haben (hat vor, hat vorgehabt) 6/1a
vor|kommen (kommt vor, ist vorgekommen) 9/4b
vor|lesen (liest vor, hat vorgelesen) 6/5
Vorleser, der, – 7/12a
Vorlesung, die, -en AB 2/1a
Vorliebe, die, -n 3/1
vorn 5/10a
Vorraum, der, -räume 1/12b
Vorschlag, der, Vorschläge 8/8d
vor|schlagen (schlägt vor, hat vorgeschlagen) 8/8c
vorsichtig 3/7a
vorspielen 1/11b
vor|stellen (sich) (Stell dir vor, ich habe heute zweimal den Bus verpasst.) 5/11a
vor|tragen (trägt vor, hat vorgetragen) 7/13a
Vorurteil, das, -e 3/12a
wach 6/11a
wachsen (wächst, ist gewachsen) 11/13a
Wagen, der, –/Wägen AB 6/7c
Waggon, der, -s/-e AB 5/3a
Wahnsinn, der (Singular) 8/3d
Wald, der, Wälder AB 8/1b
Walz, die (Singular) (Der Tischler geht seit drei Monaten auf die Walz.) 12/1a
Wand, die, Wände AB 9/7a
Wandergeselle, der, -n 12/1a
Wanderschaft, die, -en 12/1a
Wanderung, die, -en 12/8b
Wartende, der/die, -n 11/13a
was (etwas) (Es gibt ja gleich was.) 1/1a
was für ein 10/3a
Wäsche, die (Singular) 6/14b
wasserdicht 8/12c
Web-Adresse, die, -n 3/6a
Web-Cam, die, -s AB 3/1a
Wegbeschreibung, die, -en 6/8d
weg|fahren (fährt weg, ist weggefahren) 4/4b
weil 1/10a
weinen 3/11
weiter|arbeiten 7/3c
weitere 3/12d
weiter|flüstern 3/6c
weiter|geben (gibt weiter, hat weitergegeben) 2/11a
weiter|gehen (geht weiter, ist weitergegangen) 1/11a
weiter|helfen (hilft weiter, hat weitergeholfen) 6/10a
weiter|lesen (liest weiter, hat weitergelesen) 8/12c
weiter|machen 1/13b
weiter|schreiben (schreibt weiter, hat weitergeschrieben) 4/10e
weltweit 4/6a
wenigstens 3/12a
wenn 4/4b
Werbeplakat, das, -e 11/12b
Werbung, die, -en 3/9a
werden (wird, wurde, ist geworden) 5/7a
Werkzeug, das, -e 6/14b
Wert, der, -e 7/10a
Westen, der (Singular) AB 9/9b
WG, die, -s 2/7a
WG-Essen, das, – 9/7b
Widerspruch, der, -sprüche 8/5a
wie (1) (Wie komisch!) 2/5b
wie (2) (Mein Handy ist für mich genauso wichtig wie mein PC.) 3/5a
wild 4/10b
Wildschwein, das, -e 10/12b
wirken 12/4a
wirklich (Wie war es wirklich?) 1/10b
Wirtschaft, die (Singular) AB 12/11a
Wissen, das (Singular) 5/13b
wohl|fühlen (sich) 9/7b
Wohnform, die, -en 9/1b
Wohnheim, das, -e 4/11a
Wohnungsschlüssel, der, – 6/8a
Wolke, die, -n 9/1a
Wollmütze, die, -n 6/14b
womit 11/2c
worauf 11/9a
Wortschatz, der (Singular) 9/4a
worüber? 2/1a
wovon? 4/10d
wozu 12/4d
Wunde, die, -n 11/13a
wundern (sich) (über + Akk.) 2/5b
Wunschauto, das, -s 6/10a
wünschen (sich) 3/6b
Yoga, das (Singular) 8/1a
Yogakurs, der, -e AB 8/1b
Yogamatte, die, -n AB 8/1a
zählen 1/12b
zahlreich 4/7b
Zaun, der, Zäune AB 9/14
zeichnen 6/8d
Zeichnung, die, -en 1/2a
Zeile, die, -n 4/11b
Zeitplan, der, -pläne 7/3a
Zeitpunkt, der, -e 11/12b
Zeitreise, die, -n 11/11a
Zeitschriftenartikel, der, – 7/6b
Zeitungsartikel, der, – 6/9a
Zeremonie, die, -n 12/1a
Zeugnis, das, -se AB 2/1a
ziemlich 4/11a
Zitronensaft, der, -säfte 1/13b
zu (1) (Augen zu!) 1/13b
zu (2) (Nicht zu glauben!) 2/5b
zu Besuch 2/10a
zu sein 8/12c
zufällig 9/13a
Zugfahrt, die, -en 6/11a
Zugverbindung, die, -en 5/4a
zu|haben (hat zu, hat zugehabt) 1/13b
Zuhause, das, – AB 9/11b
Zuhörer, der, – 7/12b
zu|kleben 2/3a
Zukunft, die (Singular) 2/2
zuletzt 3/13a
zu|machen 1/13b
zu|nehmen (nimmt zu, hat zugenommen) (Teamarbeit nimmt überall zu.) 5/13b
zurecht|kommen (kommt zurecht, ist zurechtgekommen) 5/13b
zurück|kommen (kommt zurück, ist zurückgekommen) 2/7a
zurück|reisen (reist zurück, ist zurückgereist) 11/12a
zurück|rufen (ruft zurück, hat zurückgerufen) 5/12b
zurzeit 3/5a
zusammen|arbeiten 3/7a
zusammen|fassen 4/11a
Zusammenfassung, die, -en 12/12a
zusammen|gehören 11/7b
zusammen|wohnen 2/7a
Zuschauer, der, – 3/12a
zu|stimmen 8/8d

Quellenverzeichnis

Cover	oben: shutterstock.com – Valua Vitaly, unten: Aintschie – Fotolia.com
S. 4	oben/unten: Dieter Mayr
S. 5	oben: Paul Rusch Mitte: contrastwerkstatt – Fotolia.com unten: Dieter Mayr
S. 6	oben: shutterstock.com – Michael Jung Mitte/unten: Dieter Mayr
S. 7	oben: „Wildschweine" von Franz Marc, Mitte: iStock – Gene Chutka, unten: Blickwinkel
S. 8	oben: laif Mitte links: Leszczynsk – Fotolia.com Mitte rechts: auremar – Fotolia.com unten: c – Fotolia.com
S. 9	links: Bernd Jürgens – Fotolia.com rechts: iStockphoto – nullplus
S. 12	Dieter Mayr
S. 13	Dieter Mayr
S. 14	www.dinner-dark.at
S. 20	shutterstock.com
S. 23	shutterstock.com
S. 24	links: Benicce – Fotolia.com rechts: Volker Witt – Fotolia.com
S. 25	links: michaeljung – Fotolia.com rechts: belix – Fotolia.com
S. 26	Stefanie Dengler und Paul Rusch
S. 28	1: Look 2: Bettina Lindenberg 3: Lucky Dragon – Fotolia.com 4: iStockphoto / David Sucsy
S. 29	5 und 8: Bettina Lindenberg 6: Jochen Tack / FreeLens 7: iStockphoto / Mats Silvan
S. 30	oben links + rechts: Bettina Lindenberg unten links: Pictorius – Fotolia.com unten rechts: Scanrail – Fotolia.com
S. 33	Dieter Mayr
S. 34	Concorde/Cinetext
S. 35	RR / Cinetext
S. 40/41	„Die Unterschrift des Vaters" von E. O. Plauen, UVK Verlagsgesellschaft
S. 42	oben: Argum links: Light Impression – Fotolia.com rechts: Hermann Scholz
S. 43	oben links: Getty, oben rechts: Fotex unten links: catlovers – pixelio.de unten rechts: Helen Schmitz
S. 44	links: Aylin Wild, Mitte: Andrea Peifer, rechts: Helen Schmitz
S. 45	links: iStockphoto / Mark Hatfield Mitte links: iStockphoto / Steve Debenport Mitte rechts: Paul Rusch rechts: iStockphoto / PeskyMon
S. 46	oben links: Jargstorff – Fotolia.com oben rechts: 2011_HuCa-atmo-melchior A + C: dpa / picture-alliance B: Getty D: Landeshauptstadt Kiel – Thomas Eisenkrätzer
S. 48	Michael Kröger von Goya Royal
S. 49	links: tbel – Fotolia.com rechts: iStockphoto
S. 52	1: shutterstock.com – Monkey Business 2: Image Trust 3: Contrastwerkstatt – Fotolia.com
S. 53	4: shutterstock.com – jpatava 5: Dieter Mayr
S. 54	Dieter Mayr
S. 56	links: Christina Bohnsack rechts: Markus Studer
S. 59	shutterstock.com – StockLite
S. 62/63	Dieter Mayr
S. 68	links: Nyul – Fotolia.com Mitte: iStockphoto – Derek Latta rechts: iStockphoto – Kemter
S. 69	Christoph D. Brumme
S. 72	links: iStockphoto – Steve Debenport rechts: Conrastwerkstatt – Fotolia.com
S. 73	links: Cinetext/Concorde rechts: shutterstock.com – Monkey Business
S. 74	oben: Stefanie Dengler, Mitte: ETIEN – Fotolia.com, unten: Getty
S. 75	SC-Photo – Fotolia.com
S. 76	A: shutterstock.com – Peter Bernik, B: shutterstock.com – Michael Jung, C: shutterstock.com – auremar
S. 77	D: shutterstock.com – Pete Pahham, E: shutterstock.com – Anna Lurye
S. 80	links: fotofrank – Fotolia.com, rechts oben: Dan Race – Fotolia.com, rechts unten: nyul – Fotolia.com
S. 82	v.l.: Dieter Mayr, Andreas Haab/FreeLens Pool, Alamy – Adrian Sherralt
S. 86	oben: robynmac – Fotolia.com, A Matthias Mayer, B shutter-stock.com – Yuri Arcurs, C shutterstock.com – kukuruxa, Yogamatte: shutterstock.com – Venus Angel, Gleitschirm: D. Fabri – Fotolia.com, Reithelm: shutterstock.com – topal
S. 87	D shutterstock.com – Bevan Goldswain, E Picture-Factory – Fotolia.com, F shutterstock.com – Yuri Arcurs, Taucherbrille: shutterstock.com – ded pixto, Schneeschuhe: shutterstock.com – trekandshoot
S. 88	A, C: Dieter Mayr, B Getty
S. 90	oben links: shutterstock.com – Goodluz, rechts: Getty, A: Deklofenak – Fotolia.com, B: Alexander Rochau – Fotolia.com, C: shutterstock.com
S. 92	v.o.:lagom – Fotolia.com, iStock – ra photography, fotofinder – alimdi.net, iStock – ra photography
S. 93	oben: Christa Eder – Fotolia.com, Udo Ingber – Fotolia.com, unten: iStock – editorial_Aimin Tang, iStock – sumnersgraphicsinc
S. 96	1: H.-J. Kürtz, 2: Cordula Schurig, 3: mikrohaus.com
S. 97	4: Paul Rusch, 5: shutterstock.com – Christopher Meder
S. 98	Dieter Mayr
S. 100	v.o.: shutterstock.com – S.Borisov, shutterstock.com – Martin Lehmann
S. 102	oben: Stefanie Dengler unten: v.l.: Ilia Shcherbakov – Fotolia.com, shutterstock.com, pixelio.de, nwf – Fotolia.com
S. 103	oben: National Geographic, unten: Wuppertal dpa, ddp images
S. 106	Euro-Münzen: Fotolia.com, unten links: Dieter Mayr, Stefanie Dengler, robynmac – Fotolia.com, rechts: Dieter Mayr, shutterstock.com, Sabine Wenkums
S. 108	A VRD – Fotolia.com, B laif, C iStock – Rosamund Parkinson
S. 109	„auf dem land", Ernst Jandl, poetische Werke, hrsg. von Klaus Siblewski © 2007 Luchterhand Literaturverlag, München, in der Verlagsgruppe Random House GmbH
S. 110	1: AFP-Getty, 2: Getty, 3: www.moviepilot.de © X Verleih (Warner)
S. 111	4: Paul Rusch, 5: shutterstock.com
S. 114	Sabine Wenkums
S. 116	links: „Wildschweine" von Franz Marc, Mitte: „Feldhase" von Albrecht Dürer, rechts: „Tauchende Kuh" von Loomit
S. 122	A: Jeanette Dietl – Fotolia.com, B: Arkady Chubykin – Fotolia.com, C: ingridat – Fotolia.com
S. 124	iStock – Gene Chutka
S. 126	laif
S. 130	1: iStock – Guenter Guni, 2: Sonnhilt Naderi, Portraits oben: Paul Rusch, unten: shutterstock.com
S. 131	3: laif, unten links: H. Corneli – seatops.com, rechts: Blickwinkel
S. 134	links: imagetrust, Mitte: Blickwinkel, rechts: mauritius-images
S. 138	oben links: VRD – Fotolia.com, rechts: gradt – Fotolia.com
S. 142	A, D: Dieter Mayr, B iStock_YAO MENG PENG, C ursupix – Fotolia.com
S. 143	E, F, H: Dieter Mayr, G Monkey Business – Fotolia.com

Audio-CDs zu Netzwerk A2

CDs zum Kursbuch A2

Sprecherinnen und Sprecher:
Ulrike Arnold, Katja Brenner, Christoph D. Brumme, Sarah Diewald, Niklas Graf, Tim Haimerl, Vanessa Jeker, Detlef Kügow, Crock Krumbiegel, Dominique Elisabeth Layla, Johanna Liebeneiner, Saskia Mallison, Alina Martius, Dieter Mayr, Charlotte Mörtl, Verena Rendtorff, Jakob Riedl, Leon Romano, Helge Sturmfels, Louis F. Thiele, Peter Veit, Benedikt Weber, Sabine Wenkums, Laura Zöphel

Lied zu Kapitel 4, Aufgabe 10:
Text, Musik und Interpretation: Michael Kröger und Goya Royal

Musikproduktion, Aufnahme und Postproduktion:
Heinz Graf, Puchheim

Regie:
Sabine Wenkums

Laufzeiten:
Kursbuch-CDs 128 min.